흑구 한세광의 영시들

S. K. Hahn's English Poems

BOOKK✎

흑구 한세광의 영시들

발 행 | 2024년 9월 4일
저 자 | 한명수
펴낸이 | 한건희
펴낸곳 | 주식회사 부크크
출판사등록 | 2014. 07. 15.(제2014-16호)
주 소 | 서울특별시 금천구 가산디지털1로 119 SK트윈타워 A동 305호
전 화 | 1670-8316
이메일 | info@bookk.co.kr

ISBN | 979-11-419-0157-8

흑구 한세광의 영시들

한 명 수

S. K. Hahn's English Poems
Dr. Myungsoo Han

① ②

③

④

① 한세광이 드나들던 노스 파크 대학의 정문.
② 한세광이 다니던 College의 캠퍼스(Old Main 꼭대기에서 본 캠퍼스 뒷모습).
   Covenant Institutions; Schools; North Park College and Theological Seminary;
   Campus Scenes; Caroline Hall; Administration Building
③ 1930년 College Freshmen. 맨 뒷줄 오른쪽 끝이 한세광.
④ 노스 파크 대학의 주니어 칼리지 시절의 한세광.

VOL. IX. TEN CENTS THE COPY   NORTH PARK COLLEGE, CHICAGO, ILL., OCTOBER 19, 1926   ONE DOLLAR THE YEAR. NO. 3.

STUDENTS TO SUPERVISE HALL TRAFFIC

Representatives from Advisory Groups to Serve

Work Begun on Cupola; Staff Personnel Picked

Athletic Council Rules On Girls' Basketball

DEBATE PROSPECTS BRIGHT FOR YEAR

College Teams to Battle for Another League Championship

College Team to Bid for Championship

Clarence Molen to Lead Student Volunteer Band

ALUMNI BOARD PLANS ANNUAL HOMECOMING

Decides to Edit Part of "News" as Alumni Section

Oscar Backlund Talks On Rydberg's Life at Geijer

Andersen and Haegle Debate on World Series

VERSE

(The following verses are composed by Mr. Sug K. Hohn, a native of Korea, who is studying in the Junior College department at the present time. Mr. Hohn is well versed in Korean and Japanese literature, and he offers these stanzas as samples of Oriental poetry. The last three poems are translations which Mr. Hohn has made from the Korean and Japanese. —Editor.)

YOU AND I

When my kerchief was wet with my tears—
"Don't weep! Don't weep!"
You told me that when you left me.

When your kerchief was wet with your tears—
"Don't forget what you said before!"
I told you that when I left you.

My heart leaps up when I behold
A bridge on the stream;
There is also a bridge in my heart
Where you and I whispered a moonlight story.
—From *My Literary Diary*

MY NATIVE HOME

My dream flies away with her soft wings,
And wanders over the sea,
On her way home;
Even though rough waves wet her wings,
She never failed, even once,
To find her home.
—From *Homesick*

IN THE MIDNIGHT

I heard a sweet and lovely voice
Which comes over from the neighbor girl's home;
And I sing, too, with my lonely voice,
"Oh, my home! My dream's home!"

I only heard heavy steps passing by
When I was in my bed, asleep;
And I often heard the unknown girl's voice passing by,
And it carried away my old dreams and my sleep.

THE ROSE FLOWER

"The rose flower is beautiful" they say;
So I tried and picked it,
And I found a sharp and frightful thorn with it.

"Love is best," they say;
So I sought and followed it,
And I found mournful tears with it.

"I am unhappy," they say,
And they mourn and fall to get these;
But they don't know what they are!
—Translated from *The Collection of Korean Poets*

CLOUDS

Gray cloud!
White cloud!
They are all the same clouds!
But I am a white cloud,
And I fly from end to end in the sky.
—Translated from *Nature and Life* by the Japanese poet Rokwa Dokudomi.

I AM A WITHERED GRASS

I am a withered grass on the river bank,
And you are also a withered grass
Which has not any flower.

Why are we withered grass-blades in this earth—
You and I in this lone place
Where we only hear the sorrowful song of the boat-men!
—Modern Japanese Folk Song.

③

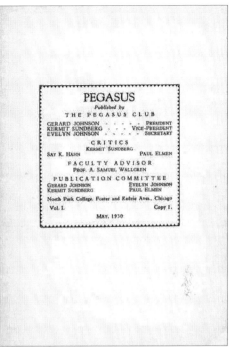

④

① 한세광이 처음 영시를 발표했던 신문 *North Park College News* 1면의 모습(1929. 10. 25.).
② 처음 발표한 영시 6편. 시의 앞에 한세광에 대하여 편집자가 소개하는 글이 있다.
③ 1930년 노스 파크 대학의 시인클럽에서 발간한 동인지 *Pegasus* 창간호의 표지.
④ *Pegasus* 창간호의 판권지. SAY K. HAHN이라는 한세광의 이름이 있다.
　　그는 비평위원회에 소속되어 부회장이자 비평위원장인 Kermit Sundberg를 도왔다.

일러두기

1. 저서나 학술지, 신문, 잡지명은 모두 『』로 표시하였고, 글의 제목은 「」로 표시하였다. 단, 영어권 저서나 학술지, 신문, 잡지명은 괄호를 사용하지 않고 이탤릭체로 표기하였으며, 글의 제목도 괄호를 사용하지 않았다.
2. 영시의 제목 표기는 대문자와 소문자를 함께 사용하였다. 예를 들면 「YOU AND I」를 「You And I」로 표기하는 방식이다.
3. 흑구 한세광 약전은 『한흑구 시전집』(마중문학사, 2019)의 '지은이에 대해'를 일부 수정하고 보탠 것이다.
4. 사용한 이미지는 Courtesy of Covenant Archives and Historical Library, North Park University, Chicago에서 제공하였다.

Summery

Say Kwang Hahn:
A Poet of Korea's Spirit Through English Poems

Say Kwang Hahn:

The Korean Poet and His English Poems

Say Kwang Hahn, a poet, essayist, novelist, critic, and scholar of English and American literature, is a renowned Korean author. From 1929 to 1931, while studying English literature at North Park College in the United States, he wrote 100 English poems. He brought these poems back to Korea upon his return in 1934, but their existence remained unknown in Korea for a long time. I discovered 20 of the 100 English poems he wrote, published in print media. Among these, five were published multiple times, so I have found a total of 15 distinct poems. These works were published in the *North Park College News* and the literary magazine *Pegasus*. Additionally, I found one piece of translated English prose.

The Pegasus Literary Magazine

and Say Kwang Hahn's Participation

This book introduces the first and second issues of the literary magazine *Pegasus*, in which Hahn participated, along with the 15 English poems and one piece of translated prose that he wrote.

The Pegasus, founded in March 1929, is the poetry club of North Park College. *Pegasus* is the name of the literary magazine published by this club, which has a 95-year history dating back to 2024. Say Kwang Hahn, as a founding member, contributed works to the first and second issues of the literary magazine *Pegasus*.

The first issue of *Pegasus* was published in May 1930 and, excluding the cover, consists of 24 pages organized in the following order: copyright, frontispiece poem, preface, roster, and main text. The roster lists the names of the authors in alphabetical order without the titles of their works. For authors who published under pen names, their real names are listed alongside their pen names. A total of 32 authors participated, and 37 works are included, including the frontispiece poem. The entries are formatted as 'title + work + author's name'.

The second issue of *Pegasus* was also recorded as published in May 1931. Compared to the first issue, the editorial committee and the publication committee were merged to form the 'Critique and Publication Committee'. Excluding the cover, it consists of 32 pages organized in the same order: copyright, frontispiece poem, preface, roster, and main text. Unlike the first issue, the second issue includes a page featuring notable quotes from 'Pope' and 'George MacDonald'. The preface notes that this publication is dedicated to commemorating the 40th anniversary of the school's founding. As with the first issue, the roster lists the authors' names in alphabetical order without the titles of their works, and pen names are listed alongside real names for authors who published under pseudonyms. A total of 37 authors participated, including two alumni. In preparation for the publication of the second issue, the Pegasus club invited alumni to contribute and established an alumni section to create a larger and better issue. The issue contains a total of 49 poems.

Say Kwang Hahn's Poems and the Korean Spirit

Say Kwang Hahn wrote English poems with the aim of expressing the Korean spirit through English poetry. At that time, Korea had lost its sovereignty to Japanese imperialists, and the Korean people were suffering under their oppression. Hahn was a patriot who ardently desired his country's independence and tirelessly endeavored to maintain the national identity and spirit of his people. As a student of English literature, he sought to utilize his field of study to express the Korean national spirit through English poetry.

The 15 English poems he wrote can be categorized into 9 original poems and 6 translated poems. The translated poems include two poems by Korean poets, one poem by a Japanese author, two traditional Korean *Gosijo*, and one contemporary Japanese folk song. The nine original poems can be classified according to their themes: 'poems longing for homeland and country', 'poems exploring the meaning of life', 'poems observing moments of life', and 'poems of farewell and longing'.

The nine original English poems he wrote reflect various perspectives on the commonalities between the historical realities of Korea at the time and Say Kwang Hahn's personal circumstances. They are works that vividly convey his clear life goals, accurate understanding of reality, and philosophical and ideological outlook. His nostalgia for his homeland and love for his country are no different from those expressed in his Korean-language poems. In particular, "My Eternal Home, Korea" is an excellent example of his patriotism, love for his nation, and Korean identity.

Introduction of Gosijo and Korean Poems

Hahn's efforts to introduce the Korean *Gosiji* (Gosijo is a traditional poetic form that was popular during the Goryeo and Joseon Dynasties.) to American society reflect his love for his country, his dedication and pride in expressing the unique rhythm of *Sijo* in English, and his international perspective. By introducing the works of Ja Young Ro and Joo Dong Yang, Hahn not only highlighted the greatness of the Korea poets of his time but also conveyed the essence of "our homeland, Korea" and the "spirit of Korea" through their work.

Choice of Japanese Author's Poems

It must have been difficult for a Korean under Japanese imperialist oppression to choose works by Japanese authors. In his deliberations, Say Kwang Hahn displayed wisdom in selecting the poetry of Tokutomi Roka. He was a writer of the anti-imperialist work Bōhanron (On Treason) published in 1911, and a Christian who revered Tolstoy and wrote Fujiko as a proponent of anti-imperialist pacifism. The poem Hahn chose was a work reflecting Tokutomi Roka's transcendental view of life, subtly criticizing his brother Tokutomi Sohō's governmental position as an imperialist official. Additionally, the folk song translated by Hahn, in terms of content, depicts the joys and sorrows of the common people suffering under the expansionist policies of Japanese imperialism, demonstrating that his choices were deeply aligned with his determination to express the heart of Korea.

Efforts to Preserve Korean Identity

In the dark era of Japanese colonial rule, as Korean students abroad were losing their national identity, Say Kwang Hahn was a poet from Korea who strove to maintain a "Korea attitude" and was a creative visionary seeking to express the Korean spirit in English. Although he could have easily settled in the United States and sought personal comfort, he never forgot for a moment that he was a son of Korea and a writer with the soul of Korea. His attitude toward life, evident even in a foreign language, unmistakably marks him as a poet with the heart of Korea.

Say Kwang Hahn's English Prose

Say Kwang Hahn's English prose piece, "Hahn Contributes Korean Story" is a Japanese tale that expresses family love and bonds through the motif of "Grandfather's Clock." It was a contribution aimed at showing the Academy students in North Park College that there was a similar theme in American popular music, such as the song "My Grandfather's Clock." Therefore, it is more appropriate to correct the title of this article from "Hahn Contributes Korean

Story" to "Hahn Contributes Japanese Story" to avoid any confusion that might arise from mistakenly identifying the Japanese story as a Korean one.

Conclusion

In compiling his English poems, I bestow upon Say Kwang Hahn the honor of being a "Great Korean poet who sought to capture the spirit of Korea through English poetry."

서문

　지난 2019년, 흑구 한세광 선생의 고고한 정신을 기리며 『한흑구 시전집』을 펴낼 때만 하여도 그의 영시를 소개하는 일이 이렇게 오래 걸릴 줄은 몰랐다. 흑구 선생께서 1979년 타계하시고 그동안 그를 추모하는 일이 이어져 왔지만, 학계에서나 후학들이 흑구 선생께서 시를 쓰셨다는 사실을 알게 된 것은 민충완 교수님의 열정적인 노력의 결과로 『한흑구 문학선집』이 나온 2009년도의 일이었다. 이후 2014년도에 『한흑구 시선집』(지식을 만드는 지식, 2014)이 나왔지만, 이는 대부분 『한흑구 문학선집』의 내용을 다시 선정하여 정리한 것이었다. 느린 속도였지만 『한흑구 시전집』 이후 흑구 선생께서 시를 쓰셨다는 사실이 조금씩 알려지기 시작했다. 지난 2019년 이후 빨리 그분의 영시들을 소개하리라고 생각하고 있었지만, 필자의 게으름과 주변의 상황들이 복합적으로 작용하여 늦어졌다. 이제라도 소개하게 된 것은 다행이라고 생각한다. 사실 흑구 선생께서 영시를 쓰셨다는 것을 아는 이는 많지 않다. 그도 그럴 것이 그분께서 미국에서 공부하시고 귀국한 뒤 번역시나 번역소설, 영미문학 등의 연구물과 평론은 자주 발표하셨지만, 영어로 된 시를 발표하시지는 않았기 때문이다.
　객관적인 통계 자료나 검증을 거친 사항은 아니지만, 현재까지 보고된 자료들을 살펴볼 때 우리나라에서 흑구 선생의 영시를 소개하는 일은 『흑구 한세광의 영시들』이 처음인 것으로 여겨진다. 흑구 선생께서 공식적으로 영시를 처음 발표한 것은 1929년 10월 25일이다. *North Park College News*에 영시 「너와 나(You And I)」 외 5편을 발표한 것이 그것이다. 흑구 선생은 100편의 영시를 썼지만, 지금 전해지는 것은 거의 없고 지금 필자가 찾아서 소개하는 이 영시들이 현재로서는 전부이다. 물론 필자가 아직 찾지 못한 국내 자료나 해외 자료에 영시가 있을지도 모르는 일이다. 분명 한국으로 귀국할 때 우리글로 쓴 약 200편의 시와 영어로 쓴 100편의 시를 정리한 것으로 알고 있는데, 일제강점기와 해방 공간, 그리고 6·25전쟁이라는 격동의 시간을 거치면서 그 행방이 묘연해지고 말았다. 활자로 발표된 작품들만이라도 더 찾을 수 있다면 좋겠다.

흑구 선생의 영시들을 정리하면서 분류상 필요한 정리와 약간의 설명을 덧붙였다. 흑구 선생께서 번역한 고시조 2편은 『시조문학사전』의 작품을 인용하되 『완해 시조문학』과 비교하여 실었다. 그리고 도쿠토미 로카의 시는 그의 저서 『자연과 인생』에서 찾아 원작과 비교할 수 있도록 했으며, 일본 민요 1편도 감상과 이해를 위하여 번역해서 함께 실었다. 영시들과 영역산문(英譯散文)은 필자가 부족한 솜씨로 번역하였는데, 원작의 느낌에 오히려 누가 될지 봐 적잖이 걱정된다. 후일 더 나은 번역본이 나와서 원작과 함께 우리글로도 충분한 감상이 이루어지기를 바라며, 흑구 선생의 작품이 더 많이 알려지고 더 많은 사람이 누리기를 희망한다.

흑구 선생에 관한 연구의 폭과 깊이가 더해가는 요즘, 그의 영시에 대한 평가도 함께 진행되어야 하겠다. 이 작품들은 그가 1920년대 후반부터 조선 귀국 때까지 남긴, 초기작품에 해당하는 점을 염두에 두고 좀 더 세밀한 접근이 필요한 때이다. 그가 시를 썼다는 사실도 모르고, 더욱이 영시를 쓴 작가였다는 것도 모르는 현시점에서 우리는 무엇부터 해야 할까? 그를 연구하는 일과 함께 지금까지 알려지지 않은 그의 작품들을 찾아 그 전체를 정리하는 일부터 해야 할 것이다. 그런 측면에서 본서는 그의 작품을 발굴하고 정리하는 일의 한 사례가 될 수도 있겠다. 흑구 선생은 특정 지역만의 작가가 아니요, 우리나라의 작가인 것, 바로 그가 자랑스러워했고, 끊임없이 그리워했고, 사랑했던 조국 대한민국의 작가인 것을 염두에 두고 더 크고 넓은 마음으로, 더 높고 깊은 의식으로 그의 위상을 찾아가는 일이 후학들이 해야 할 일이다.

흑구 선생이 우리 현대문학사의 중요한 지점에 등장하지 않는 것은 해방 이전에 보여준 그의 많은 문학적 업적에 대하여 오늘의 우리가 관심 두지 못한 데 있다. 해방 이후 우리에게 알려진 몇 편의 수필만이 그를 대변하는 것이 되어버린 현실 앞에서 이 책이 그에 대한 관심을 불러일으키는 계기가 되기를 원한다.

흑구 선생께서 시를 쓰셨다는 사실, 더군다나 영시를 쓰셨다는 사실을 아는 사람은 드물고, 거기에다가 미주지역에서 흥사단 활동을 통하여 조국의 독립을 위하여 노력하였다는 것을 아는 이는 더욱 드물다. 또한 귀국 후 독립운동을 하다가 일본 경찰에 연행되고 옥고를 치르며, 조국이 해방될 때까지 일제의 압박을 받으며 살았다는 사실을 아는 사람도 많지 않다. 그래서 이 책의 끝에 「흑구 한세광 약전」을 부록으로 실었다.

이는 전해오는 이야기를 상상해서 쓴 것이 아니라 필자가 자료를 근거로 하여 작성한 것이다. 많은 사람이 흑구 선생에 대해서 좀 더 정확하게 알기를 희망한다. 짧게 쓴 것이므로 전체 흐름은 파악할 수 있지만, 좀 더 구체적인 것을 알고 싶으면 필자가 자료를 바탕으로 재구성하여 쓴 평전을 참조하면 되겠다. 그리고 해외에도 처음 소개되는 내용이어서 해외 독자나 연구자들을 위하여 내용을 요약한 *Say Kwang Hahn: A Poet of Korea's Spirit Through English Poems*를 싣는다. 노스 파크 대학에서도 그에 관하여 연구하는 이가 있다면 반가운 일이고, 이 글이 *Pegasus*도 연구하는 계기가 되면 좋겠다.

자료 수집에 도움을 준 오거스타나 대학의 연구기관인 스웬슨 센터의 질 시호름(Jill Seaholm) 씨와 자료 수집뿐만 아니라 자료의 이미지 사용을 허락해 준 노스 파크 대학교의 브랜딜 도서관 F.M. 존슨 기록 및 특별 소장품 보관소 소장인 앤드루 마이어(Andrew Meyer) 씨에게 감사드린다.

2024년 8월 30일

한 명 수

차례

흑구 한세광의 영시들

S. K. Hahn's English Poems

1
여는말

1929년 10월 25일, 이날은 한세광이 처음으로 영시를 공식 매체에 발표한 날이다. 그리고 95년이 지난 지금, 필자는 그가 쓴 영시의 실체를 알린다. 그는 영시를 쓰기 위하여 온 힘을 쏟았고, 더욱이 그 언어 속에 '조선의 마음'을 담으려고 무진 노력하였다. 그렇게 백 편의 영시를 썼고, 이들을 「영문시편」으로 갈무리하여 조선으로 가지고 왔지만, 그동안 우리는 그의 영시를 접한 적이 없다. 그 존재조차도 모르고 지내왔다. 그렇게 잊히기 시작한 그의 영시들은 95년 만에 드디어 그가 그토록 그리워했고 사랑했던 고국 땅에 알려지는 것이다.

평소 과묵하고 깊은 사색과 성찰의 삶을 지향했던 그였기에 자랑 같은 느낌이 드는 일은 자제하였고, 그런 생각조차도 하지 않았으므로 남들과는 다른 영시 창작의 특장점을 내세워 자랑하지는 않았다. 이런 그의 성품은 우리글 창작시와 수필들에서도 잘 드러나고, 그가 20대에 발표했던 많은 글에서도 확인할 수 있다. 그가 21살이 되던 1930년에 이런 글을 쓴 적 있다.

> 지식이 있는 사람, 학식이 있는 사람은 어떤 사람을 말하는 것인지 나는 아직도 정의해 보지 않았다. 어떤 때는 지식 있는 사람이 무식한 사람보다 더 악하고 더 무지한 행동을 하는 것을 우리는 실제 생활에서 많이 보는 사실이다. '학식을 자랑하는 것은 최대의 무식인 것이다.'라고 한 테일러 비숍의 말이 생각난다.[1]

그가 자신의 특장점을 자랑하지 않는 심성을 엿볼 수 있다. 이러한 심성과 경향이 그의 영시에도 그대로 드러난다. 우리에게 너무나 잘 알려진 명제 '언어는 존재의 집'

---

1) 한흑구. 「학식」, 『신한민보』, 1930년 8월 21일.

이라는 하이데거의 말을 가져오지 않더라도 그의 글들 속에 그의 존재가 스며있다는 것을 쉽게 알 수 있다. 영시에서도 마찬가지이다. 비록 모국어는 아니지만, 그가 공부하는 새로운 언어였던 영어로 조선이라는 존재를 표현하고 싶었고, 그 존재의 기저에는 '조선인'이라는 자부심이 있었다. 그는 5천 년 역사를 이어온 민족의 마음과 정신, 즉 '조선의 마음'을 표현하고 싶었다. 그래서 그는 조선에서 가져간 『조선시인선집(朝鮮詩人選集)』을 애독하였고, 그 가운데 몇 편의 시를 영어로 번역하기도 하였다. 이뿐만 아니라 그 당시 조선에서 발간되었던 민족시인들의 시집들도 가져가 애독하였을 것으로 추정한다.

일반적으로 시인은 여러 가지 시적 장치를 통하여 그가 의도하는 바를 언어로 표현한다. 한세광은 일찍이 우리의 언어로써 이런 노력을 했고, 미국에서는 '영어'라는 매체를 통하여 이런 노력을 하였다. 일본어의 환경 안에서, 한국어의 환경 안에서, 영어의 환경 안에서 단련된 언어의 기술적 사용 효과는 후일 그를 '수필의 대가'라는 반열에까지 올리게 되었다. 그의 수필들을 자세히 분석해 보면 이러한 시적 상상력과 기술력이 뒷받침되었다는 사실을 알 수 있다. 그의 20대 초반에 쌓은 언어적 내공들이 후일에 더욱 빛을 발하게 된 것도 바로 언어를 다루는 연금술적 단련 기간이 있었기 때문이다. 특히 영어를 다루는 기술은 영시로 조선의 마음을 담고자 부단히 내공을 쌓던 노스 파크 대학 시절에 이루어진 것이다.

이 글은 그가 '영어시를 지어 조선심(朝鮮心)을 표현해 보겠다'라는 결심에 초점을 맞추어 작품을 감상함과 동시에 그의 영시를 처음으로 찾아 소개하는 목적이 있다. 그의 영시를 처음으로 소개하는 의미에서 그의 영시를 찾은 과정과 그가 '조선의 마음'을 생각하게 된 동기를 추적하여 안내하고, 그의 영시들이 실린 *North Park College News*와 *Pegasus*, *The Korean Student Bulletin* 등의 매체들에 대한 소개도 곁들이고자 한다. 그의 영시는 창작시와 영역시(英譯詩)로 구분하여 소개하였으며, 영시를 찾는 과정에서 발견한 한 편의 영역산문(英譯散文)도 함께 소개한다.

2
한세광의 영시와 조선심 생각의 동기를 찾아서

2.1. 영시를 찾은 과정

 필자가 찾은 한세광의 영시는 모두 20편이었다. 그 가운데 5편은 중복으로 발표된 것이고, 다시 발표할 때 약간의 수정을 거친 것도 있다. 그가 처음 발표한 것을 수정 하였으면 나중에 발표한 것을 정본으로 분류하였다. 최종적으로 15편이다. 그것을 찾 은 과정은 이러하다.

> 시카고에서 만 2년. 노스 파크 대학 영문과에 적을 두고 밤낮 영어를 배우고 도미 초년부터 영어시를 지어 조선심(朝鮮心)을 표현해 보겠다는 결심에서 매일 5시간의 노동을 하던 몸으로써 밤 세시까지 영시(英詩)의 타임을 맞추기 위하여 자전을 다 쳐 치던 때는 1930년이었다. 2년 동안에 나의 볼 위에 풍만하던 살이 다 빠졌으나 나는 몇 편의 영시를 써낼 수 있었다.[2]

 이 글은 한세광이 1934년 봄, 미국에서 돌아와 문예지 『신인문학』과 『조선문단』의 편집자들과 인연이 닿아 다수의 글을 발표할 무렵, 1936년 『신인문학』 3월호에 발표 한 수필 「재미 6년간 추억 편편」에 있는 내용이다. 시카고에 있는 노스 파크 대학의 영문과에서 공부하던 그가 영시를 쓰기 위하여 노력한 것을 회고한 글이다. '몇 편의 영시를 써낼 수 있었다.'라는 것으로 보아 최소한 그가 쓴 영시가 있었다는 것을 확인 할 수 있었다. 그리고 그와 비슷한 시기에 『조선문단』에 그를 소개하는 장문의 글이 실렸는데, 그 가운데 "대학에서는 시인구락부원이 되어 『시인집』에 영시도 발표했

---

2) 한흑구. 「재미 6년간 추억 편편」, 『신인문학』(1936년 3월), 118.

고"3)라는 한 줄의 글에서, 그 발간된 책의 이름은 모르지만, 시인클럽의 회원으로서 회원들의 시를 모아 동인지를 발간했다는 사실을 짐작할 수 있었다. 이런 사실을 뒷받침하는 신문 기사를 찾았는데, 그 내용은 다음과 같다.

> 당지의 노스 파크 대학에서 영문학을 공부하는 한세광 씨는 그의 학교 안에 있는 시인구락부의 부원으로 취천을 받았다는데 그 시인구락부는 약 20명의 학생으로써 조직되었고 금년에는 시집까지 발행하며 한 군의 시도 여러 편이 들어가게 된다고 하더라.4)

미국의 샌프란시스코에서 발간하던, 교민단체의 국민회의 기관지 『신한민보』(1930년 5월 15일) 기사였다. 한세광이 노스 파크 대학에서 시인클럽의 회원으로 활동하였다면, 필자가 추측한 대로 기사에서 말하는 '시집'에 해당하는 '동인지' 혹은 그 단체에서 발간하는 '문예지'가 있을 것이라는 데 생각이 이르렀다. 그 '시집', '동인지', '문예지'라고 추측하는 잡지의 명칭이 기사에 나와 있지 않은 것이 아주 아쉬웠다.

그리고 한세광은 1933년 11월 무렵, 고국의 가족으로부터 그의 어머니가 위독하다는 소식을 받았다. 귀국을 준비하면서 유학 생활을 정리하고 그가 쓴 수십 편의 작품을 미국에 남은 친구들에게 선물하는 형식으로 『신한민보』에 발표하였다. 장문의 기사 중 한 문단을 보면 다음과 같다.

> 재미 5년간 고학 생활을 하는 여가에 나는 약 2백 편의 시와 백 편의 영문시를 썼다. 이것들을 모아서 「젊은 날의 시편」이라고 제하고, 「사향 시편」, 「방랑 시편」, 「님께 드리는 시편」, 「인생 시편」, 「영문 시편」 등의 5부곡을 편찬하여 나의 젊은 날의 초기작품들을 발표하기로 생각하고 있다.5)

이런 생각으로 그는 「흑구시집편초」라는 제하에 다수의 글을 남겼는데, 영문 시편으로 편재한 작품들은 발견할 수 없었다. 그러나 분명한 것은 그가 미국 유학하는 동안 백 편의 영시를 썼고, 그것을 개인 문집의 5부에 편집해 두었다는 사실이다. 이런 기사들을 종합해 보면, 한세광은 노스 파크 대학에 입학한 1929년부터 영시를 습작(習

---

3) 「신인소개 기2-한흑구 군」, 『조선문단』 속간 3호(1936년 5월), 257.
4) 「한세광 씨 시인구락부 취선」, 『신한민보』 1930년 5월 15일. 이 신문은 *The New Korea*라는 영어명도 달고 있다.
5) 「흑구시집편초」, 『신한민보』 1933년 12월 14일.

作)했고, 같은 대학의 시인클럽에서 활동했으며, 최소 1회 이상 발간한 동인지에 작품을 발표했다는 점이다. 그러나 안타깝게도 오늘의 우리는 그 많은 작품을 찾을 수가 없었다. 미국에서 활동하였기에 더욱 그러했다. 그가 발표했던 지면이나 동인지 혹은 시집은 그가 가지고 귀국하였을 것으로 판단하지만, 이 글을 작성하는 현재를 기준으로 하여 그의 사후 45년간 그 실체를 확인할 수 없었다.

지난 수년간 필자가 한세광의 작품을 발굴하고 정리하면서 그의 영시가 분명 어딘가에는 있을 것이라는 생각을 떨치지 못한 것은 바로 위의 기록들이 보여주는 사실성에서 나온 믿음 때문이었다. 이후 필자는 한세광이 '북미대한인유학생회(The Korean Student Federation of North America)'에 활동했다는 사실을 근거로 학생회에서 발간하는 유인물이 있을 것으로 생각했다. 나의 탐색은 『한국학생회보(The Korean Student Bulletin)』에 이르렀다. 그리고 보통의 대학처럼 그가 다니던 대학에도 신문을 발간하였을 것으로 생각하고, 대학신문을 찾았고, 마침내 노스 파크 대학의 학생신문인 *North Park College News*에까지 도달했다. 마침내 필자는 '노스 파크 대학 신문'과 '한국학생회보'에서 한세광의 영시들을 찾아내었다. 노스 파크 대학 신문에서 한세광이 활동했던 시인클럽의 이름이 페가수스(The Pegasus)였으며, 그들이 발간한 동인지 이름도 '페가수스'라는 사실을 확인하였다. 필자는 *North Park College News*에서 아래와 같은 기사를 발견하였다.

Spring is here! Can that be the reason for the literary outbursts? Whether the season is the cause or not, a Poet Club has been formed at North Park. At the organization meeting, Friday evening, March 7, Gerard Johnson was elected to head the club. Kermit Sundberg is the vice-president, who also serves as chairman of the critic committee; his assistants are Paul Elmen and Say K. Hahn. The club elected Evelyn Johnson as secretary. As an evidence of the interest evinced in the formulation of this new literary club, thirty-two students have taken out charter memberships. The "budding poets," whose adviser is Professor A. S. Wallgren, are to meet on Wednesday afternoons from 3:30 to 4:30. It is planned that the society will contribute its productions to a *Poet's Corner* in the NEWS.[6]

---

6) Johnson, Sundberg Head Poetry Club, *North Park College News*, 1930년 3월 14일.

봄이 왔다! 그것이 문학적 폭발의 이유가 될 수 있을까? 계절이 원인이든 아니든, 노스 파크에 시인클럽이 결성되었다. 3월 7일 금요일 저녁, 창립 회의에서 제라드 존슨이 클럽의 회장으로 선출되었다. 커밋 선드버그는 부회장이자 비평위원회 위원장으로 활동하며, 그의 보조는 폴 엘멘과 한세광이다. 에블린 존슨을 서기로 선출하였다. 32명의 학생이 회원이 되었다는 것은 이 새로운 문학 클럽 구성에 관한 관심의 증거로 볼 수 있다. "시인이 되고자 하는 이"들은 교수 A. S. 월그렌의 지도를 받으며, 수요일 오후 3:30부터 4:30까지 만나기로 했다. 이 단체는 NEWS[7]의 시인 코너에 그들의 작품을 기고할 계획이다.

한세광이 활동했던 시인클럽은 1930년 3월 7일에 창립되었으며, 제라드 맨리 존슨(Gerard Manley Johnson)은 회장, 커밋 선드버그(Kermit Sundberg)는 부회장, 한세광은 부회장이자 비평위원회 위원장을 돕는 임원으로 선출되었다는 사실을 보도하고 있다. 이어서 필자는 시인클럽의 활동이 보도된 기사를 근거로 동인지 *Pegasus*를 찾기 시작했고 마침내 *Pegasus*를 찾았다. 그것은 미국 일리노이주의 시카고에 있는 노스 파크 대학교의 브랜델(Brandel) 도서관과 록 아일랜드(Rock Island)에 있는 오거스타나 대학(Augustana College)의 스웬슨 센터(Swenson Center)에 소장되어 있었다. 브렌델 도서관에는 1930년에 발행한 제1집부터 1969년에 발행한 40집까지가 삽화가 포함된 총 40개의 발행본이 4권으로 나뉘어 있었으며, 각 권의 높이는 20에서 21센티미터였다. 스웬슨 센터에는 1930년에 발행한 제1집부터 1933년에 발행한 제4집까지, 그리고 1935년에 발행한 제6집이 있었다.

2.2. 조선심을 생각한 이유

한세광은 미국에 도착하여 영어를 공부하면서 '영어시를 지어 조선심(朝鮮心)을 표현해 보겠다는 결심'을 하고 2년간 노력한 끝에 영시를 얻을 수 있었다. 그가 영시를 쓴 첫째 동기는 바로 '조선심'의 표현에 있었다. 그가 생각한 '조선심'의 모티프는 무엇일까? 그가 유학하던 시기는 우리나라가 일제강점기의 상황이었으므로 '조선심'이라

---

7) 이는 *North Park College News*를 말한다.

는 단어는 굳이 설명하지 않더라도 조선인들이 지닌 민족주의적인 정신을 말한다고 하겠다. 하지만 그가 굳이 영시로 표현해 보겠다는 데에는 그만한 이유가 있었을 것이다. 한세광이 미국에 도착한 후 얼마 지나지 않아 미주에서 공부하는 조선의 청년들에게 보내는 간곡한 기고문 「그대여 잠깐만 섰거라」에서 일본 문학에 밀려 정신없이 사는 이들을 보면서 국문학을 수립하고 우리의 노래를 불러야 할 것을 강조하였다. 일본의 노래와 시가 조선의 머리를 말리고 있다고 한탄하면서 노래(시) 없는 적막하고도 쓸쓸한 조선의 거리를 애통해하기도 하였다.[8] 그런 그의 마음에 '조선심'이라는 구체적이고도 정확한 단어가 심어진 것은 1924년에 발간되었던 변영로(卞榮魯)의 시집 『조선의 마음』과 1926년에 발간된 조태연(趙台衍)이 편집한 『조선시인선집』의 영향이라고 생각한다.

"16세 시 중학 시절부터 시를 쓰노라 했지만 그 동기란 것은 거의 본능적의 것이었습니다. 사색과 꿈(상상)이 많던 시절이었습니다. 그 후도 나의 반생이 거의는 방랑 생활로 지냈으니까 항상 낭만의 꿈이 시를 쓰게 한 것입니다."[9]라는 그의 회고에서 알 수 있듯이 '본능적인' 마음으로 시를 접하였다면, 당시 발간되었던 변영로의 시집을 안 읽었을 리 없다. 우리가 이미 알고 있듯이 이 시집은 1920년대 민족주의 문학파를 대변하는 시집의 하나로서 '민족의식의 확립'이라는 경향이 뚜렷하다. 박두진은 『조선의 마음』에 서두에 있는 변영로의 시 「서 대신에」를 두고 직서에 가까운 수법으로 민족의 설운 마음을 정면으로 단순하게 다루어 단 일곱 줄의 시에다 아주 포괄적인 시적 주제를 표출했다고 평가하면서 '지향할 수 없는 마음, 설운 마음'이란 수주의 투명한 직관에 비친 민족적 심상일 뿐 아니라, 당시의 사회, 민족의 시대적 심정을 정확하게 묘파한 객관성을 지니고 있다고 했다.[10] 그 '조선마음'을 묘사한 변영로의 작품을 보면 한흑구가 생각한 조선의 마음도 이해할 수 있으리라 생각한다. 1924년 『조선의 마음』에 실린 작품[11]을 현대어 맞춤법으로 적어 보면 다음과 같다.

「조선마음」을 어디가 찾을까?
「조선마음」을 어디가 찾을까?
굴속을 엿볼까, 바다 밑을 뒤져볼까?

---

8) 한세광. 「그대여 잠깐만 섰거라」, 『신한민보』 1929년 6월 27일.
9) 한흑구. 「시단문답」, 『시건설』 제8집(1940년 6월), 34.
10) 박두진. 『한국현대시론』, 서울: 일조각, 1970, 00
11) 변영로. 『조선의 마음』, 경성: 평문관, 1924, 1.

빽빽한 버들가지 틈을 헤쳐볼까?

아득한 하늘가나 바라다볼까?

아, 「조선마음」을 어디 가서 찾아볼까?

「조선마음」은 지향할 수 없는 마음, 설운 마음!

이와 함께 변영로 시집에 대한 평가와 문학사적 의의를 요약해 놓은 다음의 글을 보면 한세광이 생각한 '조선심'에 대한 윤곽을 파악할 수 있을 것이다.

> 변영로의 자서를 보면, 변영로가 지향하고자 하였던 시세계는 참다운 '조선마음'의 탐구임을 알 수 있다. 식민지 치하에 있어서 조선의 마음은 지향할 수 없는 마음이며, 서러운 마음이라고 말하고 있다. 이 지향할 수 없는 마음을 진정한 조선의 마음이라고 할 수는 없다. 따라서 참다운 조선의 마음 그 진실을 확립하여 식민지 상황하의 민족적 슬픔을 극복하고자 하였던 것이다. 변영로에게 있어서 '조선마음'이란 민족주의 문학파의 조선심(朝鮮心)과 다름이 없다고 보아야한다. 변영로는 이 시집에서 그와 같은 조선마음, 즉 조선심을 '님'이라는 실체로 호칭하고 있다. 이 시집에 님이 보편적으로 등장하는 이유가 여기에 있다. 예컨대, 「생시에 못 뵈올 님을」에서 님과의 이별과 님에 대한 애틋한 그리움을 통하여 식민지 치하의 조국을 상징화하고, 또한 「그때가 언제나 옵니까」에서는 우리 민족이 머잖아 상봉할 님을 위하여 고통과 수난을 참고 견디는 순교자적 소명의식을 강조한다. 이 시에서 '그때'나 '우리 세기(世紀)의 아침'으로 표현된 때는 님과의 상봉으로 상징된 참다운 조선마음이 확립된 시기, 즉 조국이 광복된 시기이다.[12]

한세광이 위의 두 시집을 미국 유학길에 오르면서 조선에서 가져갔는지에 대한 정보는 없지만, 한 가지 확실한 것은 『조선시인선집』은 가지고 있었다고 판단한다. 왜냐하면 그가 1929년부터 1930년까지 공식적으로 발표한 영시가 15편인데, 그 가운데 노자영의 「장미」와 양주동의 「소곡」을 영역(英譯)하여 발표한 것에 근거를 둔다. 두 작품의 끝에 'Korean Poets Collection'이라고 출처를 달아두었는데, 그것이 바로 『조선시인선집』이고, 두 작품은 여기에 실린 것이다.

한세광이 '영어시를 지어 조선심(朝鮮心)을 표현'하려는 마음의 기저에는 『조선시인

---

12) 국어국문학편찬위원회, 「조선의 마음」, 『국어국문학자료사전』, 서울: 한국사전연구사, 1999, 2706.

선집』의 서문에서 편자가 시선집의 발간의 의미를 밝힌 데서 찾을 수 있다. 편자가 "조선의 마음을 살리고 빛내어 보자는 의도"요, 이 선집은 "조선의 빛을 아로새기고 조선의 마음을 노래하며, 조선의 정신을 하늘 높이 읊조리는 시단의 정화총집(精華總集)"[13]이라고 말한 것에서 한세광은 『조선시인선집』을 애독하면서 그 안에 있는 작품들을 영어로 옮기는 일도 했을 것이다. 공식적으로 발표하지는 않았지만, 완성한 영시 가운데 이 시집에서 영역한 작품도 다수 있었을 것으로 판단한다.

한세광은 이 시집에서 조선의 마음을 읽을 수 있을 것이라는, 조선의 마음을 이 시집이 웅변할 것이라는 편자의 마음을 믿었을 것으로 본다. 그래서 그는 이 시집들에서 볼 수 있는 그 조선의 마음을 자기 전공을 살려 영시로 표현해 보고 싶었을 것이다. 영어 속에 담긴 영미인의 심성을 넘어 영어 속에 조선의 마음을 담아 보겠다는 그 발상은 참으로 그다운 시각이 아닐 수 없다.

그에게도 심리적 갈등이 있었다. 위에서 잠시 언급하였지만, 영어시로 조선심을 표현해 보겠다는 결심으로 열심히 공부하는 가운데, 그의 머리에는 "새로운 의혹이 생겼다. 그것은 영문으로 창작을 힘쓰는 동안 조선문 창작이 퇴래할 것이라는 것을 깨달았다. 실로 이것은 나의 머리를 괴롭히었으나 필경 나는 조선 사람이 되기를 원했고 조선의 작가가 되기를 결심하고 영문공부도 조선인적 태도로써 하기로 생각하였다."[14] 이러한 그의 자세는 유학 기간 내내 그가 유지한 태도였을 뿐만 아니라 일제강점기에도, 조국이 해방된 뒤에도 그가 지닌 자세였다. 예를 들면, 1947년 변영로가 영문시집 *Grove of Azalea*를 출간했을 때 한세광은 그의 영문시집을 읽고 평을 하였는데, 그 기운데 이런 내용이 있다.

> 무엇보다도 그는 영시를 영시풍으로 쓰지 않고 조선적인 에스프리로써 표현한데 특징이 있고 생명이 있다고 생각한다. 흔히 우리는 영시를 쓸 때에 음률과 각운 등 형식에만 사로잡히어 조선적인 특수한 정서를 살리지 못하는 것이, 쉬운일이 아니다. 이런 점에 있어서도 수주 선생의 시는 많이 고심한 흔적이 보이나 어디까지나 조선적인 어구를 살리는 그의 특재에는 천식(淺識)한 나로서는 다만 경의를 표할 뿐이다. E.M. 플로렐 여사는 본집 서문에 있어서 『조선의 고시조는 중국시의 모방이었고 조선의 현대시는 영시에서 영향을 받았다.』라고 하였지마는 나는 단순히 그렇다고 긍정하지 않는다. 조선의 시조와 현대시는 어디까지나 조

---

13) 「서」, 『조선시인선집』(조태연 편), 경성: 조선통신중학관, 1926, 2.
14) 한흑구. 「재미 6년간 추억 편편」, 『신인문학』(1936년 3월), 118.

선적인 시가이요 문학이다.15)

　한세광은 조선 최초의 영문시집의 출간을 기뻐하면서 변영로의 조선심 표현의 노력
에 경의를 보내고, 이 시집의 서문에 기록된 에드나 플로렐(Edna M. Florell)의 견해
에 반박을 전하면서 조선의 시조와 현대시에 묻어있는 조선의 정신을 분명히 밝히고
있다. 한세광이 1947년에 쓴 이 평문은 그가 미국에서 유학할 때뿐만 아니라 귀국 후
에도, 해방 후에도 일관되게 유지한 신념이요 자세라는 것을 증명한다.

---

15) 한흑구. 영문시집 *Grove of Azalea*를 읽고, 『민중일보』 1947년 8월 24일.

3
영시의 출전들

필자는 노스 파크 대학 신문과 동인지 페가수스, 그리고 한국학생회보에서 15편의 영시와 1편의 영역산문을 찾았다. 한세광이 '영시 백 편을 썼다.'라는 기록을 기준으로 할 때, 필자가 찾은 것은 그의 작품 중 15%에 해당하는 것이다. 그가 주로 발표한 지면은 *North Park College New*와 *Pegasus*였다.

3.1. 노스 파크 대학 신문

한세광은 1929년 10월 25일 노스 파크 대학 신문에 처음으로 창작 영시 「You And I」, 「My Native Home」, 「In The Midnight」 3편과 한국 시인 노자영의 시를 번역한 「The Rose Flower」, 일본 작가 도쿠토미 로카(德富蘆花)의 시를 번역한 「Clouds」, 그리고 현대 일본 민요를 번역한 「I Am A Withered Grass」 3편 등 모두 6편의 영시를 발표하였다. 이어서 11월 13일 Korean Poems 2편을 번역 발표하였다. 8편의 시 중에서 3편은 창작시이고, 5편은 영역시인데, 그 가운데 한국시가 3편, 일본시가 2편이다. 이는 한세광이 시를 발표할 때 편집자가 "다음의 시는 현재 주니어 칼리지 학부에서 공부 중인 한국 출신의 Say K. Hahn 씨가 쓴 것입니다. 한 씨는 한국과 일본 문학에 정통하며, 이 시는 동양시의 한 보기로 제시됩니다. 마지막 세 편의 시는 한국어와 일본어에서 번역한 것입니다."[16]라고 안내한 것을 볼 때, 한세광의 창작시 외에도 동양의 문화와 정신 혹은 사상적 특징을 보여주는 작품이 있다면 신문 지상을 좀 더 풍요롭고 다채롭게 꾸미고 싶었던 편집자의 요청이 작용한 것은 아닌지

---

16) Verse, *North Park College News*, 1929년 10월 25일.

추측해 본다.

　1930년 1월 17일에는 영어로 쓴 산문 「Hahn Contributes Korean Story」를 발표하였고, 같은 해 4월 16일에는 「My Eternal Home, Korea」와 「Moon And Bell」 등 2편을 발표하였다. 1931년 1월 28일에는 「You Will Meet Them」을 발표하였다. 한세광은 *North Park College News*에 모두 11편의 영시와 1편의 영역산문을 발표하였다.

3.2. 동인지 『페가수스』

　한세광은 『페가수스』 제1집에 영시 4편을 발표하였다. 발표된 순서로 기록해 보면 다음과 같다. 「My Eternal Home, Korea」, 「Moon And Bell」, 「Lines On Spring」, 「Life And Death」 등이다. 이 가운데 「Life And Death」는 양주동의 시 「소곡(小曲)」을 번역한 작품이고 나머지는 창작시이다. 그리고 「My Eternal Home, Korea」와 「Moon And Bell」은 위에서 말한 대로 노스 파크 대학 신문(1930년 4월 16일)에 발표한 작품을 다시 수록한 것이다. 그리고 제2집에는 「You Will Meet Them」, 「At Riverside」, 「I Like A Spring Morning」 등 창작 영시 3편을 발표하였다. 이 가운데 「You Will Meet Them」도 노스 파크 대학 신문(1931년 1월 28일)에 발표한 것을 다시 수록한 것이다. 그는 동인지 『페가수스』 1집과 2집에 모두 7편의 영시를 발표하였다.

　필자는 1930년에 미국 시카고에 있는 노스 파크 대학의 시인클럽인 페가수스(The Pegasus)에서 발간한 동인지 『페가수스』는 우리나라에 처음 소개되는 것이므로 한세광의 영시를 탐색하는 과정에서 파악한 『페가수스』 제1집과 제2집에 관하여 약간의 설명을 덧붙이고자 한다.

『페가수스』 제1집

　『페가수스』 제1집의 판권지를 보면 1930년 5월에 발행한 것으로 나타나 있다. 필자가 노스 파크 대학 신문의 기사를 통하여 확인한 결과, 구체적인 발행일은 1930년 5월 19일이다. 회장은 제러드 존슨(Gerard Johnson), 부회장은 커밋 선드버그(Kermit

Sundberg), 총무는 에블린 존슨(Evelyn Johnson)이다. 비평은 커밋 선드버그와 한세광, 폴 엘멘(Paul Elmen) 등이 담당하였다. 그리고 회장, 부회장, 총무와 비평을 담당한 폴 엘멘 등 4인이 출판위원회를 구성하였고, 고문에는 사무엘 웰그렌(A. Samuel Wallgren) 교수가 위촉되어 있다.

표지를 제외하고 24쪽으로 구성된 『페가수스』 제1집은 판권, 권두시, 서문, 명단, 본문 순으로 편집되었다. 권두시라는 표제가 붙은 것은 아니지만, 머리말보다 비중 있게 맨 처음에 실리어 있다. 드리나 불(Dreana Vool)이라는 필명을 사용하는 커밋 선드버그의 「헌정(Dedication)」이라는 시가 보여주듯 이 작품집은 대학의 설립 목적에 따른 그리스도교적 사상과 철학을 반영하고 있다는 것을 보여준다. 서문은 출판위원회 명의로 작성되었다. 그 내용을 보면 다음과 같다.

> Irresistible impulses to art do not always result in an art that is irresistible. Whatever may be the merit, however, of the verse in this collection it is submitted as a record of genuine enthusiasm for the noblest of arts, poetry. The Pegasus Club was recently organized at North Park College with the aim of discovering the beauty of poetry and stimulating greater interest in it. The response manifested is a guarantee of the permanence of the club, and a favorable reception—as is hoped—of this publication will encourage the production of further issues.
>
> We are greatly indebted to Mr. Warner Sallman for the cover design and for his interest in our work. We also appreciate the splendid support and co-operation of our fellow-students, to whom we owe much for the success of this publication.[17]

예술에 대한 저항할 수 없는 충동이 항상 저항할 수 없는 예술을 만들어 내는 것은 아닙니다. 그러나 이 시집이 가지는 가치가 어떠하든, 그것은 가장 고귀한 예술인 시를 향한 진정한 열정의 기록으로 내어놓습니다.

페가수스 클럽은 시의 아름다움을 발견하고 이에 대한 더 큰 관심을 촉진하기 위해 노스 파크 대학에서 최근에 조직되었습니다. 그 반응은 클럽의 영속성을 보장하며, 이 출판물이 호의적인 반응을 얻고 앞으로의 발행을 장려할 것으로 기대

---

17) Preface, *Pegasus* Vol. 1, The Pegasus Club, 1930, 3.

됩니다.

　우리는 표지 디자인에 관한 관심과 지원을 해준 워너 살만(Warner Sallman) 씨에게 매우 감사드립니다. 또한 이 출판물의 성공에 많은 도움을 준 동료 학생 들의 훌륭한 지원과 협조에 감사드립니다.

　명단에는 작품의 제목 없이 작가의 이름만 알파벳순으로 기록되어 있으며, 평소 필명으로 작품을 발표했던 작가의 실명 옆에 필명이 함께 표기되어 있다. 참여한 작가는 모두 32명이며, 권두시를 포함하여 37편의 작품이 실려 있고, 편집은 '제목+작품+작가명'으로 되어 있다. 한국의 동인지 편집 방식과는 다르게 목차가 없고, 작품도 작가별로 모은 것이 아니라, 편집위원회에서 판단하여 작품의 길이에 맞추어 하나의 작품이 두 페이지에 나뉘지 않도록 배치하였다.

『페가수스』 제2집

　『페가수스』 제2집의 판권지를 보면 제1집과 마찬가지로 1931년 5월로만 기록되어 있다. 회장은 제러드 존슨이 연임하였고, 부회장은 마틴 소더백(Martin Soderback), 총무는 로버트 스터디(Robert A. Sturdy)이다. 제1집과 비교해 볼 때, 비평위원회와 출판위원회가 통합되었다. 제1집의 부회장 겸 비평을 담당하였던 커밋 선드버그 외에 바이올라 플랭크린(Viola Franklin), 메리 밀러(Mary Miller), 루스 알바(Ruth Alvar) 등 4인이 '비평 및 출판위원회'를 구성하였다. 사무엘 웰그렌 교수가 고문으로 있었다.

　표지를 제외하고 32쪽으로 구성된 『페가수스』 제2집도 판권, 권두시, 서문, 명단 본문 순으로 편집되었다. 제2집에서도 Dreana Vool이라는 필명을 사용하는 커밋 선드버그의 「경의(Homage)」라는 권두시가 작품집의 처음을 열고 있다. 서문은 출판위원회 명의로 작성되었다. 제1집과 달리 제2집에는 중간에 한 면을 할애하여 'Pope'의 명구와 중간에 'George MacDonald'의 명구를 적어두었다는 점이다. 그리고 서문에는 이 출판물이 개교 40주년[18]을 기념하는 헌사인 것을 적고 있다. 내용을 보면 다음

---

18) 노스 파크 대학교의 역사와 유산은 1891년 미니애폴리스 교회 지하에서 시작되었으며, 그곳에서 언어 와 경영 수업을 통해 스웨덴 이민자들에게 미국에서 성공하는 데 필요한 기술을 제공했다. 시카고에서 토지를 제공받자, 학교는 당시 도시 경계 바로 너머에 있던 North Park 지역으로 이전했다. 캠퍼스의 첫 번째 건물인 Old Main은 1894년에 완공되었고, 그 큐폴라는 조종사들이 Orchard Field(현재의 O'Hare 국제공항)를 찾는 랜드마크가 되었다. 큐폴라는 도시 북쪽에서 가장 높은 지점이었다. North

과 같다.

What love is to social existence, poetry is to literature. That is why poetry lives and lifts us above the mediocre in life to realms of felicity and fancy. Yet we must remember that all love is not true, so all verse is not poetry. The Pegasus this year is a hopeful striving toward a goal of true poetical expression. The race has just begun, and we are looking forward to greater achievements in literary production among the students of North Park. In a way this publication is a tribute to our school on its fortieth anniversary. We want to thank all students, whether members of the club or not, as well as the alumni who have contributed to make this book a bigger and better publication.[19]

사랑이 사회적 존재에 필수적이라면, 시는 문학에 필수적입니다. 그래서 시는 우리를 평범한 삶에서 행복과 환상의 영역으로 끌어올립니다. 하지만 모든 사랑이 진정한 사랑이 아닌 것처럼, 모든 운문이 시는 아닙니다.

올해의 페가수스는 진정한 시적 표현의 목표를 향한 희망찬 노력을 담고 있습니다. 경주는 이제 막 시작되었고, 우리는 노스 파크 학생들 사이에서 더 큰 문학적 성취를 기대하고 있습니다. 이 출판물은 우리 학교의 40주년을 기념하는 헌사이기도 합니다.

이 책을 더 크고 더 나은 출판물로 만드는 데 이바지해 주신 클럽 회원 여부와 관계없이 모든 학생과 동문께 감사드립니다.

제1집과 마찬가지로 명단에는 작품의 제목 없이 작가의 이름만 알파벳순으로 기록되어 있으며, 필명으로 작품을 발표했던 작가의 실명 옆에 필명이 함께 표기되어 있다. 37명의 작가가 참여했으며, 그 가운데 2명의 졸업생이 포함되어 있다. 페가수스 클럽에서는 제2집 발간을 준비하면서 '더 크고 더 나은 호를 만들기 위해, 졸업생들에게 기고를 부탁하고, 졸업생 섹션을 신설'하려고 계획을 하였다.[20] 전체 49편의 시가

Park는 역사의 여러 시점에서 아카데미, 단기대학, 4년제 Liberal Arts College였다. 노스 파크 대학교 누리집 https://www.northpark.edu/about-north-park-university/history-and-heritage/(다운로드 2024년 6월 30일).

19) Preface, *Pegasus* Vol. 2, The Pegasus Club, 1931, 3.

20) Pegasus Again! This Time Bigger and Better — But a Little Different and More Organized

실려 있다.

노스 파크 대학의 시인클럽은 1932년 10월 18일 새로운 집행진을 구성하였다.[21] 제2대 회장으로 선임된 커밋 선드버그는 창립부터 현재까지를 되돌아보며 장문의 회고문을 남겼다. 페가수스의 성격을 이해하고, 이 단체의 초기 역사를 알 수 있다는 점에서 유익한 기록이다. 그 내용을 적어 보면 다음과 같다.

Pegasus

It was at best a precarious experiment. But because we had an unquenchable desire to greet the spring with an offering in verse plus an unstinted confidence in student backing, we risked it. We had dreams too, of course, of establishing a new channel for extra-curricular activity. We hoped to begin a tradition, if you please. But primarily our object was to produce a collection of verse, original verse by campus talent and for campus circulation.

Any number of name selections came with our first announcement. Some from scoffers, some from good-natured if neutral onlookers, some from enthusiastic scribes who shared our dreams. Our first plans took wing when PEGASUS was chosen as our club and booklet title. Mr. Warner Sallman caught the spirit of the project, nobly creating one of the most graceful and original interpretations of the flying horse we have seen. The long chance was on.

Thirty-two poetry lovers most of which were also contributors, joined with us in the financing and publishing of the first volume, a yellow backed booklet containing forty-four selections. This excerpt from the preface of the first Pegasus has caught the experiment's true pioneer sentiment.

"The Pegasus was recently organized with the aim of discovering the beauty of poetry and stimulating greater interest in it. The response manifested is a

---

Because Experience Teaches Well, *North Park College News,* 1931년 3월 11일; Pegasus Club Plans Poetry Publication, *North Park College News,* 1931년 4월 8일.

21) Poets Honor Johnson, Elect year's Officers, *North Park College News,* 1931년 10월 26일.

guarantee of the permanence of the club, and a favorable reception—as is hoped—of this publication will encourage the production of further issues."

Although the poems left much to be desired in the way of finish and art, the collection met with immediate popularity. An edition of over 200 volumes was disposed of in short order and all doubts were dispelled as to whether or not there was a place for such a project.

That was back in May, 1930. We were breaking new ground then. But we have never needed or wanted to apologize for the crudeness of our first attempt.

And there was progress. Months before the elms began to bud, students, teachers and alumni were asking about plans for a new Pegasus. The roster included thirty-seven names now. The confidence of 1930's success, whetted interest in both writer and reader, plus the experience gained in our first venture all pointed toward a further realization of our initial ideal. The preface of the second volume comments, "The Pegasus this year is a hopeful striving toward a goal of true poetical expression. The race has just begun and we are looking forward to greater achievements in literary production among the students."

The quality of verse in the 1931 edition was far superior. Thirty-two pages containing fifty poems printed in a larger, more legible type, mirror the technical advancement. A sectional division separating secular and sacred verse was also introduced.

By comparison the 1932 Pegasus shows the greater progress toward maturity. Its size and type remained unchanged, but the quality of its material won favorable and encouraging comments from several notable periodicals and writers. Faculty and alumni contributions were also solicited. "The Pegasus," says its foreword in part, "in its short history has won an enviable recognition on the campus. Its position is attained, not by a large membership, but by a fine adherence to nobility of purpose in its activity."

KERMIT SUNDBERG,
President, Pegasus Club.[22]

페가수스

기껏해야 그것은 불안정한 실험이었습니다. 그러나 우리는 봄을 시로 맞이하려는 꺼질 줄 모르는 열망과 학생들의 지원에 대한 아낌없는 확신이 있었기에 그것을 감행했습니다. 우리는 새로운 과외 활동 채널을 만들려는 꿈도 꾸었습니다. 괜찮다면, 전통을 만들자고 했습니다. 하지만 우리의 주된 목적은 캠퍼스 내의 재능 있는 사람들이 쓴 창작 시를 모아 캠퍼스 내에 배포하는 것이었습니다.

첫 발표와 함께 다양한 이름에 관한 제안이 나왔습니다. 조롱하는 사람들, 중립적인 구경꾼, 우리의 꿈을 공유한 열정적인 필자들이 있었습니다. 우리의 첫 계획이 실현되기 시작한 것은 PEGASUS가 우리 클럽과 소책자의 제목으로 선택되었을 때였습니다. 워너 셀만 씨는 프로젝트의 정신을 잘 이해하고 우리가 본 가장 우아하고 독창적인 날개 달린 말의 해석 중 하나를 멋지게 창조했습니다. 대담한 도전이 시작되었습니다.

서른두 명의 시 애호가들이 대부분 기고자로서 첫 번째 책자를 출판하고 재정적으로 지원했습니다. 노란색 표지의 이 책자는 44개의 선집을 담고 있었습니다. 첫 번째 페가수스 서문에서 이 실험의 진정한 개척 정신을 포착했습니다.

"페가수스는 시의 아름다움을 발견하고 시에 대한 더 큰 관심을 촉진하기 위해 최근에 조직되었습니다. 그 반응은 클럽의 영속성을 보장하고, 이 출판물이 호의적인 반응을 얻으면 앞으로의 발행을 장려할 것입니다."

시의 완성도와 예술성 면에서 아쉬운 점이 있었지만, 이 시집은 즉각적인 인기를 끌었습니다. 200부 이상이 단기간에 팔려 나가면서 이러한 프로젝트의 필요성에 대한 모든 의문이 해소되었습니다.

그것은 1930년 5월의 일이었습니다. 우리는 당시 새로운 길을 개척하고 있었습니다. 그러나 우리는 첫 시도의 미숙함에 대해 사과할 필요도, 원하지도 않았습니다.

그리고 진전이 있었습니다. 느릅나무가 싹 트기 몇 달 전, 학생들, 교사들, 졸업생들이 새로운 페가수스에 대한 계획을 물었습니다. 이제 명단에는 서른일곱 개의 이름이 포함되었습니다. 1930년의 성공에 대한 자신감, 작가와 독자 모두의 관심, 첫 시도에서 얻은 경험은 모두 초기 이상을 더욱 실현하는 방향으로 나아

---

22) Pegasus, *The Cupola 1933*, North Park College, 65.

갔습니다. 두 번째 책자의 서문은 이렇게 말합니다. "올해의 페가수스는 진정한 시적 표현의 목표를 향한 희망찬 노력을 담고 있습니다. 경주는 이제 막 시작되었고, 우리는 학생들 사이에서 더 큰 문학적 성취를 기대하고 있습니다."

1931년 판의 시의 질은 훨씬 뛰어났습니다. 32페이지에 50편의 시가 더 크고 읽기 쉬운 글자로 인쇄되어 기술적 진보를 반영했습니다. 세속적인 시와 신성한 시를 구분하는 섹션 구분도 도입되었습니다.

1932년 페가수스를 비교해 보면 성숙을 향한 더 큰 진전을 보여줍니다. 크기와 형태는 변하지 않았지만, 내용의 질은 여러 유명 잡지와 작가들로부터 호평과 격려를 받았습니다. 교수와 졸업생들의 기고도 요청되었습니다. "페가수스" 서문한 부분은 이렇게 말합니다. "짧은 역사 속에서 페가수스는 캠퍼스에서 부러워할 만한 인정을 받았습니다. 그 위치는 큰 회원 수로 달성된 것이 아니라, 활동의 고귀한 목적에 대한 충실함으로 달성된 것입니다."

커밋 선드버그,
페가수스 클럽 회장

동인지 페가수스는 출간 후 판매하였고, 내용의 풍부함을 도모하기 위하여 매번 새로운 기획을 고민하기도 하였다. 후일에는 시만 수록한 것이 아니라 다양한 장르를 포함하는 문예지로 발전하였다. 3년의 세월을 돌아보면서 초창기에 있었던 일을 기록한 *North park College News* 기사의 일부분을 보면 이러하다.

Back there in 1930 along the first of March two tuneful swains, E. Kermit Sundberg and Gerard Johnson, gave expression to an inner urge by initiating the movement which, under the name of Pegasus, is now eclipsing the other extra-curricular groups on the campus. Two and a half months after its origin the Pegasus Club, nobly supported by more than a score of followers, succeeded in the unprecedented attempt to publish a book of poetry that could finance itself and awaken the interest of the student body. Over two hundred copies were sold. In the second year of its history the club, having a membership of about thirty, repeated the performance of the first year but with greater enthusiasm. The publication was increased from a 24-page to a 32-page booklet and a greater number of members contributed.[23]

　1930년 3월 초, 두 명의 멋진 청년 E. 커밋 선드버그와 제라드 존슨이 내면의 충동을 표현하며 이 운동을 시작했고, 이 클럽은 이제 캠퍼스의 다른 과외 활동 그룹을 능가하고 있다. 페가수스 클럽은 창립 후 두 달 반 만에 스무 명이 넘는 추종자들의 고귀한 지원을 받아, 자금을 조달하고 학생들의 관심을 일깨우는 시집을 출판하는 전례 없는 시도에 성공했다. 200부 이상이 팔렸다. 역사상 두 번째 해에 약 30명의 회원을 보유한 클럽은 첫해의 성과를 반복했을 뿐만 아니라 더 큰 열정을 보여주었다. 출판물은 24페이지에서 32페이지로 늘어났으며, 더 많은 회원이 이바지했다.

　순전히 회원들의 열정으로 일궈낸 클럽이고, 그 클럽이 발전하는 모습을 읽을 수 있다. *The Cupola 1933*에서 읽을 수 있는 것처럼 커밋 선드버그가 창립 당시에 '전통을 만들자'라고 한 그의 선의가 95년의 역사를 이루는 씨앗이 되었다. 그의 순수한 의지는 후배들의 의지로 이어져 오늘날에도 지속된다는 사실은 놀라운 일이 아닐 수 없다. 창립회원이었던 한세광의 선택도 하나의 밀알이 되었다.

　오랜 역사를 지닌 노스 파크 대학교(North Park University)가 복음주의 언약교회 (Evangelical Covenant Church)에 의해 설립되었다는 점을 고려할 때, 이 대학의 시인클럽에 노스 파크 대학(North Park College)과 신학교(Theological Seminary)의 학생들이 많이 참여하였다는 것은 자연스러운 일인 것 같다. *Pegasus*는 1969년까지 총 40집을 발간하였고, 이후 1975년부터 현재까지는 이름을 *The North Branch*라는 이름으로 그 전통을 이어가고 있으며, 노스 파크 대학의 학생들을 위한 문학잡지로 자리매김하고 있다. 이 문학회는 창립회원의 후배들이 지금도 그 맥을 이어가고 있다.

　이 글에서는 한세광을 중심으로 서술하므로 그가 참여한 페가수스 제1집과 제2집을 간단히 소개하였지만, 기회가 닿아 '문학회 페가수스'와 '동인지 페가수스' 전체를 연구해 보는 일도 의미 있는 일일 것이다. 1924년 현재를 기준으로 할 때, 95년의 역사 동안 그 문학회를 거쳐 간 작가들이 수없이 많을 터이고, 그 가운데는 작가로 사는 이들도 있을 것으로 본다.

---

23) Pegasus, *North Park College News*, 1932년 10월 26일.

3.3. 한국학생회보

『한국학생회보(The Korean Student Bulletin)』는 미주 한인 유학생들이 결성한 '미주 대한인유학생회'에서 발간한 영문판 회보이다. 한세광은 이 회보에 2편의 영시를 발표하였다. 1929년 12월에 발표한 「The Rose Flower」는 이미 *North Park College New*에 발표한 것을 다시 수록한 것이고, 1930년 10월에 발표한 「My Eternal Home, Korea」는 *North Park College New*와 *Pegasus* 제1집에 발표한 것을 일부 수정하여 다시 수록한 것이다.

최종적으로 이 책에 반영한 시 「My Eternal Home, Korea」는 *The Korean Student Bulletin*에 게재한 것을 택했다. 이 작품을 맨 처음 발표한 지면은 *North Park College News*였고, 이를 다시 *Pegasus* 제1집에 실을 때는 첫 작품에 없었던 연(聯)을 구분하였고 작품의 몇 군데를 수정하였다. 그리고 그 수정한 작품을 *The Korean Student Bulletin*에 다시 수록할 때도 미세하게 수정했다.[24]

---

24) 그 내용을 정리하면, 'you → thou', 'your → thy', 'hear → hearest', 'heart of youngster → youthful heart', 'Land of morning calm → The Land of the morning Calm' 등이 그것이다. 그리고 'O'와 '!'를 생략하거나 ',' 등을 생략하는 것들이었다.

4
영시의 분류와 감상

한세광의 영시는 크게 창작시와 영역시(英譯詩)로 나눌 수 있다. 창작시는 주제에 따라 나눌 수 있고, 영역시는 국가와 장르에 따라 '한국시와 일본시', '한국 고시조와 일본 민요' 등으로 나눌 수 있다.

4.1. 창작시

한세광의 쓴 창작시는 9편이다. 이들은 그가 조선으로 귀국하기 전 미주지역에 남은 동료들을 위하여 그의 작품을 『신한민보』에 내어놓을 때 분류한 기준에는 영문 시편에 해당하는 것이지만, 이 글에서는 그의 영시를 내용이나 주제에 따라 「고향과 조국을 그리는 시」, 「삶의 의미를 궁구하는 시」, 「삶의 한순간을 관조하는 시」, 「이별과 그리움의 시」 등으로 나누었다.

고향과 조국을 그리는 시

한세광은 1929년 미국에 도착한 이후부터 고향과 어머니에 대한 그리움은 계속 이어졌다. 그가 고향과 어머니에 대한 그리움을 나타낸 것은 영시뿐만 아니라 한글시에도 그러하다. 그가 「My Native Home」을 발표할 무렵인 1929년 10월 이전인, 1929년 3월에도 「무제록」이나 「그러한 봄은 또 왔는가」와 같은 시를 썼고, 「잠 깰 때」와 같은 작품에서는 '외로운 이 아침 잊었던 고향 생각이네'[25]라고 직설적으로 표현하기

---

25) 한명수. 『한흑구 시전집』, 대구: 마중문학사, 2019, 201.

도 하였다. 이들은 영시에서 보여주는 감정과 크게 다를 바가 없다. 그가 향수(鄕愁)를 노래하고, 고국을 노래한 작품들을 감상해 보자.

My Native Home

My dream flies away with her soft wings,
    And wanders over the sea
    On her way home;
Even though rough waves wet her wings,
    She never failed, even once,
    To find her home.
                  — From Homesick

내 고향

내 꿈은 부드러운 날개로 날아가네,
    바다 위를 배회하며
    집으로 향하네;
거친 파도가 날개를 젖게 하더라도,
    한 번도 실패하지 않았어,
    집을 찾는 일에.
                 — 향수병으로부터

   이 시는 희망과 결연함이 공존하는 느낌이다. 화자는 자기의 꿈을 부드러운 날개로 비유하여, 그 꿈이 고향을 향해 바다를 넘어 집으로 돌아가려는 모습을 그리고 있다. 이 과정에서 거친 파도가 꿈의 날개를 젖게 할지라도, 꿈은 한 번도 실패하지 않고 항상 집을 찾아가는 모습을 보여준다. 이는 고향에 대한 강한 그리움을 드러낸 것이다.
   한세광이 멀리 고향을 떠나 있는 상태이고, 더욱이 조국을 잃은 상태인 것을 고려할 때, '한 번도 실패하지 않았어, 집을 찾는 일에'라는 표현은 '집을 찾는 일'은 단순히 물리적 공간을 찾는다는 의미를 넘어서, 시인의 내면적인 충만과 고향을 찾는 데에 대한 강한 열망을 드러낸다고 하겠다. 시인은 고향으로부터 멀리 떠나 있지만, 고향으로 돌아가려는 그의 결의를 약화하지 않았다는 것을 강조하고 있다. 이 표현은 그의 내면적인 갈망을 독자에게 전달하는 중요한 구절이다.

이 시는 상징적인 요소를 통해 감정적인 깊이를 전달하며, 문장 구조와 언어의 사용이 자연스럽게 이어진다는 측면에서 영시로서의 완성도가 높다고 하겠다. 감정의 깊이와 시적 장치가 절묘한 조화를 이루면서, 시의 완성도를 더욱 높여주는 요소로 작용하고 있다. 주관적이지만 시인의 감정을 좀 더 구체적으로 시각화하거나 생동감 있는 이미지를 사용한다면 독자들에게 더욱 생생하게 전달될 수도 있겠다.

그가 향수병이라고 꼬리말을 단 이 작품에 '외로움'을 더해주는 작품이 있다. 그는 시카고에서 고학 생활을 하며 영시를 쓰기 위해 잠을 줄이는 등 신체적 고난을 감수하면서 공부하는 가운데, 고향과 고국에 대한 그리움은 더해갔을 것이다. 깊은 밤 잠자리에서 깊은 잠을 잘 수 없는 상황에서 시적 모티브를 잡은 「한밤중에(In The Midnight)」라는 작품을 보자.

In The Midnight

I heard a sweet and lovely voice
  Which comes over from the neighbor girl's home;
And I sing, too, with my lonely voice,
  "Oh, my home! My dream's home!"
I only heard heavy steps passing by
  When I was in my bed, asleep;
And I often heard the unknown girl's voice passing by,
  And it carried away my old dreams and my sleep.

한밤중에

달콤하고 사랑스러운 목소리를 들었네.
  이웃 소녀의 집에서 들려오는;
나도 외로운 목소리로 노래 부르네,
  "오, 나의 집! 내 꿈의 집!"
침대에 누워 자고 있을 때

무거운 발걸음 소리만 들렸네,
가끔 모르는 소녀의 목소리가 지나가는 소리도 들렸네,
그것은 나의 옛꿈과 잠을 끌어 앗아갔네.

이 시는 전체적으로 외로움과 그리움이 강조되었다. 화자는 한밤중에 이웃 소녀의 집에서 들리는 달콤하고 사랑스러운 목소리에 대한 감정을 드러내면서도 상대적으로 자신의 외로움과 집에 대한 그리움이 깊어지는 것을 느낀다. 침묵과 무거운 발걸음 소리가 그의 외로움을 강조하며, 모르는 소녀의 가끔 들리는 목소리는 그의 옛꿈과 평온한 잠을 방해하고 앗아간다고 생각한다. 전반적으로 자정의 분위기 속에서 외로움과 그리움을 짙게 묘사하고 있다.

'모르는 소녀의 목소리'는 외로움과 그리움의 상징적인 요소이다. 이웃 소녀의 목소리는 집과 안정을 상징하며, 그리움의 대상이 되지만, 모르는 소녀의 목소리는 알려지지 않은, 낯선 것을 상징한다고 하겠다. 이 목소리는 화자의 외로움과 불안정한 마음을 더욱 부각하므로 이 소녀의 목소리는 시인의 내면적 갈등과 불안정한 정서를 나타내는 요소로 볼 수 있다. '옛꿈'은 화자가 지녔던 희망으로써 과거의 이상적인 상상을 말한다. '내 꿈의 집'이라는 구절은 그가 지향하는 이상적인 집이나 안식처를 상징하며, 그 안에서의 평화와 안정을 원하는 그의 갈망을 드러낸 것으로 볼 수 있다.

이 시인은 조국을 잃어버린 상태로 멀리 이국에서 고학하며, 조국이 다시 독립할 것을 고대하는 처지에 있고, 고향을 그리워하는 마음이 끊이지 않는 상태인 것을 볼 때, 시인이 '오, 나의 집! 내 꿈의 집!'이라고 부르는 것은 조국을 그리워하는 마음으로 해석할 수도 있다. 이 경우에는 집이라는 개념이 더 확장되어, 고향이자 조국을 상징하는 것으로 이해할 수 있다. 이국에서 공부하며 자신의 조국이 다시 독립할 것을 기대하고, 조국을 그리워하고 있는 상태에서 이 표현은 그가 바라보는 이상적인 조국을 상징하는 것이 될 수도 있다.

이 시는 전체적인 언어와 문장 구조는 자연스럽고 흐름이 잘 이어지며, 감정과 사건을 효과적으로 전달된다. 줄마다 감정적인 의미가 담겨 있고, 시적 장치와 이미지는 독자들에게 감정적 반응을 일으킬 수 있는 강력한 힘을 가지고 있다. 그런 면에서 이 영시는 감정적이고 깊은 내면세계를 표현하는 데 있어서 완성도가 높다고 생각한다.

그 강력한 힘의 근원은 그가 지닌 진정성, 다시 말하면 고향과 고국을 진심으로 사랑하는 마음에서 비롯된다. 그가 미국에 도착하여 영시를 쓰면서도 '조선의 마음'을 생각했고, 미국에 사는 조선 학생들에게도 언제나 조국을 생각하는 마음으로 살아가기를 강조하고, 본인도 그렇게 실천했던 일을 생각하면 충분히 이해할 수 있는 일이다. 그런 진정성은 조국의 영원성과 맞닿은 애국심으로 연결된다. 그는 영원한 조국을 노래한 「나의 영원한 고향, 조선이여(My Eternal Home, Korea)」를 노래하였다. 그 작품은 이러하다.

My Eternal Home, Korea

The sun rises and shines,
Where people sing the essence of Asia;
Calm is the sky with harmless clouds above shrines.
My eternal home, Korea!

Across the river thy soft breeze blows
Sweet with scents of ricefields far away;
From mountain lake the stream flows
With delights to the ocean on its way.

Thou are the "Land of the Morning Calm."
My beloved, eternal home, Korea!
But now, thou hearest the wailing from the farm,
And also from every youthful heart of Korea.

And yet thy bright lamps thou bear,
Still burning and brightening the night;
Dawning of the East is drawing near,
Chilliness and darkness will be gone with the night.

O my beloved, "The Land of the morning Calm."
O my eternal home, Korea!

나의 영원한 고향, 조선이여

해가 떠서 빛나고,
사람들이 아시아의 정수를 노래하는 곳;
거룩한 땅 위 하늘은 무해한 구름 더불어 고요하다.
나의 영원한 고향, 조선이여!

강을 건너 부드러운 바람 불어오고
멀리서 오는 논밭 향기는 달콤하며;
산호(山湖)에서 흘러내리는 물은
즐거움과 함께 바다로 나아간다.

너는 "고요한 아침의 나라"
나의 사랑하는, 영원한 고향, 조선이여!
하지만 지금, 너는 농장에서 울부짖는 소리를 듣고,
조선의 젊은 마음에서도 울부짖는 소리를 듣는다.

그래도, 오 밝은 등불아, 너는 견디며,
여전히 타오르며 밤을 밝히는구나;
동쪽 하늘은 밝아오고,
추위와 어둠은 밤과 함께 사라질 것이다.

오, 나의 사랑하는, "고요한 아침의 나라여."
오, 나의 영원한 고향, 조선이여!

이 시는 기본적으로 사랑과 슬픔과 희망이 혼합된 느낌을 준다. 조국의 자연과 문화에 대한 사랑과 자부심을 표현하면서도 '농장에서 들리는 통곡'이나 '모든 젊은이의 마음에서 들리는 통곡' 등을 통하여 현재의 고난을 표현하기도 한다. 그러면서도 '여전히 타오르고 밝게 빛나는 등불', '동쪽의 새벽이 다가오고', '차가움과 어둠이 밤과 함께 사라질 것'이라는 희망을 드러냄으로써 미래를 긍정적으로 바라본다.

한세광의 현재 처지에서 본다면 조국의 자연과 문화에 대한 묘사는 단순한 사랑과 자부심 이상의 의미가 있다. 이는 조국을 떠나 이국에 살면서 느끼는 깊은 향수와 그리움의 반영이다. 물리적으로 어떻게 해 볼 수 없는 조국이 일본 제국의 지배 아래에서 겪는 고통과 상실감을 바라보는 깊은 슬픔과 무력감을 표현하기도 하지만, 언젠가 일본 제국의 지배가 끝나고 조국이 독립을 되찾을 것이라는 희망과 그에 대한 강한 의지를 나타낸 것이기도 하다. 시 전체에 걸쳐 나타나는 조국에 대한 사랑과 자부심은 단순한 감정 이상의 의미가 있다. 자연과 문화에 대한 단순한 예찬이 아니라 식민지 지배 아래에서 고통받는 조국에 대한 깊은 애정과 슬픔, 그리고 독립과 자유를 향한 강한 희망과 저항의 의지를 담고 있다. 한세광은 이 시를 발표한 후 조국의 경술국치 일인 8월 29일을 맞아 「고국」이라는 제목의 한글시를 발표하였다.26) '조선, 나의 고국이여! / 조선 사람, 나의 동포여!'로 시작하는 이 시는, 이 구절의 반복을 통하여 그리운 조국을 노래한다는 것과 나라를 잃어버린 슬픔을 노래하면서도 희망의 끈을 놓지 않는 시인의 비장함을 읽을 수 있다. 그런 면에서 유사하다고 할 수 있다.

한세광은 '고요한 아침의 나라'와 '나의 영원한 고향'이라는 이미지를 중심으로 시상을 전개하면서 '고요한 아침의 나라'의 첫 표현에는 'Land of the Morning Calm.'이라고 표기했고, 두 번째는 'The Land of the morning Calm.'27)이라고 'The'를 삽입하면서 'morning'의 'm'을 대문자로 표기하였다. 이는 곧 'The'를 넣어 좀 더 특정하는 효과와 'calm'이 지닌 일상적 고요함을 넘어, 진정한 조국의 고요와 평화를 강조한 것으로 보인다. 다시 말하면 '일본 제국의 지배에서 벗어난 진정한 고요, 진정한 평화가 있는 아침의 그 나라'를 강조한 것으로 판단한다.

앞에서 잠시 말한 것처럼 이 시는 맨 처음 *North Park College News*에 처음 발표한 뒤, 일부 수정을 거쳐 동인지 *Pegasus*에 발표하였고, 다시 일부 수정하여 *The*

---

26) 『동광』 제38호, 1932년 10월; 『신한민보』 1932년 10월 13일.
27) 'The Land of the morning Calm'이라는 용어는 한세광이 처음 사용한 말은 아니다. 우리가 이미 역사를 통해서 알고 있듯이 퍼시벌 로웰(Percival Lowell)이라는 미국 청년이 1883년 12월 20일부터 1884년 3월 18일까지 당시 국왕 고종의 손님으로 조선에 머물면서 체험한 것을 기록한 책 *Chosön: The Land of Morning Calm - A Sketch of Korea*(1886년)에서나, 피렌체 태생의 영국 화가이자 탐험가인 A. 헨리 새비지-랜도어 (A. Henry Savage-Landor)가 조선 방문 시에 쓴 기록문들을 엮은 기행문인 *Corea or Cho-Sen: The Land of the Morning Calm*(1895년)에서, 그리고 노베르트 베버(P. Norbert Weber OSB)가 *Im Lande der Morgenstille*(1915년)를 통하여 이미 사용하여 서양인들에게 자주 말해지던 용어였다. Percival Lowell. 『조선: 고요한 아침의 나라 한국』(조경철 역), 서울: 대광문화사, 1986; A. Henry Savage-Landor. 『고요한 아침의 나라 조선』(신복룡·장우영 역주), 서울: 집문당, 1999; Norbert Weber. 『고요한 아침의 나라』(박일영·장정란 옮김), 왜관:분도출판사, 2012 참조. 사실 '고요한 아침의 나라'라는 용어는 주로 우리나라의 평화롭고 고요한 이미지를 묘사하는 긍정적인 표현으로 사용됐지만, '정체와 고립', '수동적 이미지'. '문화적 오해'와 같은 부정적인 측면도 있다. 이 표현은 서양인들의 시각에서 만들어진 것이기 때문에, 우리나라 사람들이 우리를 보는 것과는 차이가 있을 수 있다.

*Korean Student Bulletin*에 발표한 작품이다. 그만큼 한세광이 공을 들였고, 애정을 갖는 작품이다. 그런 만큼 이 시도 영시로서 완성도가 꽤 높은 편이다.

삶의 의미를 궁구하는 시

한세광은 10대 때부터 '고상한 이상, 평범한 생활(High Thinking; plain living)'이라는 구절을 좌우명으로 삼고 일생을 지냈고, 시인 존 키츠(John Keats)의 시 'Truth is Beauty, Beauty is Truth'라는 구절을 통하여 '거짓은 결코 아름다울 수 없고, 참되고 성실한 곳에 아름다움이 있을 뿐이다. 거짓 없는 참된 생활을 함으로써만 인생의 아름다움을 창조할 수 있다.'[28]라는 생각을 평생 간직하며 살았다. 누구라도 그러하듯이 그는 참된 삶의 의미를 찾아 부단히도 자신을 성찰하였고, 더욱이나 20대의 피 끓는 청년 시절에는 인생의 의미를 더욱 간절히 찾고 싶었던 명제가 아니었을까? 그가 후일에 봄을 소재로 하거나 계절적 배경이 봄인 수필들 「봄비」, 「진달래」, 「새 봄빛」, 「화단의 봄」, 「봄의 화단」, 「봄의 숨결」 등의 작품에서 엿볼 수 있는 기본 정신은 '생명과 새로움'이다. 그가 쓴 영시에는 이런 기본 정신과 함께 일제강점기를 살아가는 청년의 슬픔도 곁들여 있다. 그가 쓴 영시 중 2편의 봄을 소재로 한 시에도 그런 경향이 있다. 작품을 감상해 보자.

Lines On Spring

God always sends the Spring,
And Spring brings us a new life;
Lo! Fresh leaves, fair flowers, and the Spring,
Which show us the freshness and resurrection of life.

But, look at the neighboring housewife
Who's waiting for her husband at the window;
We beings are suffering in our strife
With poverty, ennui, loneliness, and sorrow.

---

28) 한흑구. 「나의 좌우명」, 『효대학보』, 1973년 4월 19일.

I see beautiful daffodils on the lawn,
Which remind me of past days.
Whither am I wandering alone?
What am I longing for these days?

봄에 대한 시

신은 항상 봄을 보내시고,
봄은 우리에게 새 삶을 가져다준다;
보라! 신선한 잎사귀, 아름다운 꽃들, 그리고 봄,
이들은 우리에게 상쾌함과 생명의 부활을 보여준다.

그러나 창가에서 남편을 기다리는
이웃 여자를 보라.
우리는 고뇌하고 있다,
가난과 지루함, 외로움과 슬픔 속에서.

정원의 아름다운 수선화를 본다,
그것들은 나에게 지나간 날들을 상기시킨다.
나는 왜 혼자 방황하고 있을까?
나는 무엇을 그리워하고 있나?

이 시는 복잡하고 묘한 감정의 혼합을 보여준다. 봄의 생명력과 새로움을 주제로 한 긍정적인 감정과, 현실적인 고민과 슬픔이 공존하는 모습이 담겨 있다. 마지막 줄에서 시인은 자신이 혼자 방황하고 있는 느낌을 표현하며, 현재의 그리움이 무엇인지를 질문한다. 이는 시인의 내면을 탐색하고 자아의 고뇌와 감정의 복잡성을 드러내는 부분이기도 하며, 인생의 방향성에 대한 깊은 생각과 성찰이 반영된 부분이기도 하다. 그 복합적인 감정의 세계가 조국을 잃은 화자가 드러낸 내면세계의 한 부분이라면 그 감상의 초점은 달라질 수 있다. 그리고 아름다운 수선화를 보면서 지나간 날들을 돌이키면서 '방황'과 '그리움'의 원천을 궁구하는 모습이 20대 청년이 지닌 이상과 현실 사이의 괴리감에서 온 것이라면 또 다른 관점으로 옮아갈 수 있다.

이 시는 '봄의 생명력'과 '인간의 고통'이라는 소재의 대조를 통하여 시를 더욱 흥미롭고 깊이 있게 만든다. 구조와 형식에서도 각 연은 일관된 리듬과 운율을 가지고 있으며, 일부 구절에서 운율이 다소 불규칙하게 느껴질 수도 있지만, 전체적으로 자연스럽고 음악적인 흐름을 제공한다. 그리고 비교적 간단하고 직관적인 언어를 사용하여 주제를 전달하는데, 예를 들어, 'God always sends the Spring'과 같은 문구는 명확하고 이해하기 쉽다. 형식적인 면의 단순화는 오히려 내용으로 철학적 깊이를 더하여 독자들에게 철학적인 성찰을 불러일으킬 수 있다. 전반적으로 매우 깊이 있는 감정을 담고 있으며, 봄의 생명력과 그에 대한 경외심을 표현하는 한편, 현실적인 인간의 고통과 갈망을 묘사하는 등 여러 층위의 감정과 생각을 포함하는 영시로서의 완성도가 높다고 평가할 수 있다.

한세광은 또 「봄 아침이 좋다(I Like a Spring Morning)」를 발표하는데, 위의 시와는 다른 분위기를 만들어 낸다. 다소 긍정적인 마음이 깃들면서도 마냥 가볍지만은 않은 작품이다.

I Like a Spring Morning

I like a spring morning,
    The green river and the breezy meadow;
I turn my eyes upon you, river!
    Flow, flow, flow!

Space and Time; Time and Space;
    What do you know about those, river?
Flow, flow, but not apace;
    You are one of immortals, O river!

        Summer nights;
            Autumn evenings;
        Winter nights -
            Spring mornings.

                    Rivers,
                            Spring rivers;
                    Mornings,
                            Spring mornings.

봄 아침이 좋다

봄 아침이 좋다,
푸른 강과 산들바람 부는 초원;
강을 바라본다, 강아!
흘러라, 흘러라, 흘러라!

공간과 시간; 시간과 공간;
너는 그것에 대해 무엇을 아는가, 강아?
흘러라, 흘러라, 흘러라, 그러나 서두르지 말고;
너는 불멸의 존재 중 하나, 강아!

            여름밤;
                    가을 저녁;
            겨울밤 –
                    봄 아침.
            강들,
                    봄 강들;
            아침들,
                    봄 아침들.

  이 시는 평온하고 명상적이며 자연과 시간의 흐름에 대한 깊은 성찰을 담고 있다. 봄 아침의 상쾌하고 신선한 느낌과 함께 강의 흐름을 바라보며 공간과 시간에 대한 철학적인 질문을 던지고 있다. 계절의 변화와 강의 영원한 흐름을 통해 자연의 아름다움과 거기에서 느낄 수 있는 고요와 평온을 강조하며 사색적인 분위기를 자아낸다.

  'Space and Time; Time and Space; What do you know about those, river?'라

는 구절은 시간과 공간에 대한 철학적인 질문을 던지며 깊은 사색을 유도한다. 자연의 영원성과 인간의 한계를 대조하며, 자연 속에서 인간의 위치를 다시 한번 생각하게 하고, 그 속에서 명상적인 분위기를 더한다. 이에 'Rivers, Spring rivers; Mornings, Spring mornings.'라는 반복적인 구절은 율동적인 느낌을 줌과 동시에 시의 분위기를 한층 더 차분하고 명상적으로 만든다. 강을 시간이 흘러도 끊임없이 흐르며 변하지 않는 존재로 묘사한다. 화자는 강을 통해 자연의 영원성을 강조한다. 시간과 공간이라는 개념은 인간에게는 매우 중요한 것이지만, 자연(강)에게는 그런 구분과 개념이 특별한 의미가 없다는 점을 부각하여 강을 시간과 공간을 초월하는 존재로, 이러한 영원성과 지속성을 통해 인간의 일시적인 존재와 대비하고 있다. 화자는 인간이 이해하기 어려운 시간과 공간이라는 개념을 강에게 질문함으로써, 인간의 인식 한계를 드러내고 있다. 강은 이러한 질문에 대답할 수 없지만, 그 존재 자체가 대답일 수 있다.

    너는 그것에 대해 무엇을 아는가, 강아?
    흘러라, 흘러라, 흘러라, 그러나 서두르지 말고;

    이 구절은 자신에게 하는 말이다. 강의 흐름과 자기 삶의 행태를 동일화하여 인격체인 강에게 말을 건네지만, 궁극적으로 자신의 내면, 또 다른 자아를 향한 충고요 격려이며 위로이다. 좀 더 의미를 확장한다면 강의 영원성과 인간 영혼의 불멸성을 동일시한 관점이라고 할 수 있다. 강의 흐름은 시간의 흐름과 같고, 강의 지속성은 공간의 넓음을 상징하며, 'You are one of immortals, O river!'라는 표현을 통해 화자는 강의 영원성, 자연의 초월성, 그리고 자연에 대한 경외심을 강조하고 있다. 이는 독자에게 자연의 위대함과 시간 속에서 인간의 위치를 다시 생각하게 하는 중요한 메시지를 전달한다.
    이와 같은 메시지를 드러내기 위하여 한세광은 마지막 두 연에 형태적으로 입체적이고 시각적인 방법을 사용하였다. 두 연이 다른 연이나 행보다 더욱 오른쪽으로 치우치고 들쭉날쭉하게 쓴 이유는 시각적 배치를 통하여 독자의 주의를 유도하며, 다양한 형태와 패턴으로 존재하는 자연의 특성을 반영함과 동시에 자연 속에서의 자유로운 흐름과 변화무쌍한 아름다움을 그리고자 하였다. 이런 효과는 시적 리듬과 음악성을 부여하는 등 언어와 형식 면에서 독창적이며, 철학적이고 명상적인 주제를 효과적으로 전달하고 있다. 그런 면에서 영시로서의 완성도도 높다고 하겠다.

다음은 삶의 연대감과 희망을 노래하면서 긍정적이고 힘찬 내일을 노래한 「너는 그들을 만날 것이다(You Will Meet Them)」라는 시를 감상해 보자.

You Will Meet Them

Lonesome? Never say it again;
　　But, cry alone! Cry alone!
The flogs cry out together,
　　Following the first one.

Pessimistic? Never say it again;
　　But, laugh alone! Laugh alone!
The mountain lilies bloom out together,
　　Following the first one.

Go round the world, friends!
　　With laughter and also tears;
Then from some part of the earth,
　　You will meet them with their ears.
　(From my diary.)

너는 그들을 만날 것이다

외롭다고? 다시는 그렇게 말하지 말라;
　　대신, 혼자 울어라! 혼자 울어라!
개구리들이 함께 울부짖는다,
　　첫 번째 녀석을 따라.

비관적이라고? 다시는 그렇게 말하지 말라;
　　대신, 혼자 웃어라! 혼자 웃어라!
산(山) 백합들이 함께 피어난다,
　　첫 번째 꽃을 따라.

세상을 돌아다녀라, 친구들아!
　　웃음과 눈물과 함께;
그러면 지구의 어느 한 곳에서,
　　너는 그들을 그들의 귀와 함께 만날 것이다.
(내 일기에서.)

　이 시는 외로움과 비관적인 감정을 이기고, 삶에서의 연대감과 희망을 찾으라는 메시지를 전달한다. 1연에서는 외로움과 비관적인 생각에 대해 '혼자 울어도 좋다'고 하면서도, 한 개구리가 울면 함께 외치는 개구리들이나 첫 번째 꽃을 따라 산 백합들이 함께 피어나듯이, 혼자 있더라도 서로의 지지를 느낄 수 있음을 언급한다. 2연에서는 비관적인 감정에 대해 '혼자 웃어도 좋다'고 하면서도, 산 백합이 함께 피어나듯이, 나의 긍정적인 행동이 다른 이들에게 영향을 줄 수 있음을 설명한다. 이는 긍정적인 행동과 웃음이 서로 영향을 미칠 수 있고, 이를 통해 우리가 기쁨을 전할 수 있다는 것을 암시한다. 마지막 연에서는 세상을 여행하며 웃음과 눈물을 함께하면, 결국 어느 곳에서든 우리는 다른 사람들을 만날 것이라고 말한다. 이는 우리의 경험과 감정이 다른 이들과 연결되어 있으며, 결국에는 서로를 이해하고 지지해 줄 수 있음을 시사 하는 등 서로에게서 희망과 지지를 찾을 수 있는 삶의 묵직한 메시지를 전달하고 있다.
　이 시에서 '개구리 울음소리'는 통일된 목소리나 단결을 상징한다. 여기서 'flogs cry out together'라는 구절은 여러 개구리가 함께 소리를 내며 하나의 목소리를 만든다는 의미이고, '산 백합'은 희망과 재생의 상징이다. 이 꽃은 특히 어려운 조건에서도 살아남고 피어난다는 점에서 강인함과 생명력을 상징한다. 'The mountain lilies bloom out together'라는 구절은 사람들이 모여 힘을 합쳐 어려움을 이겨내고 새로운 생명과 희망을 찾는 것을 나타낸다.
　'그들(Them)'은 '다양한 배경과 경험을 가진 다른 사람들'이나 '함께 여행하고 있는 동료들'을 의미할 수 있다. 시대적 맥락과 시의 흐름에 따라 다양하게 해석될 수 있으며, 시인이 어떤 의도를 가지고 '그들'을 언급했는지에 따라 그 의미가 달라질 수 있다. 결국은 마지막 구절에서 이 시가 지닌 의미를 추출해야 한다. 그들을 만나기는 만나지만 단순한 대면의 만남이 아니라 '그들의 귀와 함께 만날 것이다.'라는, 예견적 메시지를 전달하는 이면을 읽을 필요가 있다. 즉 '귀와 함께 만난다.'라는 것은 나의 진실한 말을 들어주는 그들을 만난다는 것이다. '웃음과 눈물과 함께' 떠나는 유랑의 시간 끝에 참된 마음으로 다가서는 그에게 참된 마음으로 살아가는 그들이 있다는 것이다. 이는 곧 진실은 진실을, 아름다움은 아름다움을, 착함은 착함을 서로 알고 만나게 되는 삶의 진리를 설파한 것으로 볼 수 있다.

한세광이 세계의 모든 인류가 하나라는 세계관을 가지고 있었으므로 그런 생각을 할 수 있었던 것으로 본다. 그는 『신한민보』에 「이지적 감정을 논함」이라는 장문의 논설문에서 '민족적 감정'을 이야기할 때 그 서두에 이렇게 말하였다.

> 나는 한 개의 세계주의자다. 전 인류 동포주의자다. 또한 어떤 의미에 있어 사회주의자다. 사회의 전 인류에 대한 희생적 애와 봉사로써 인생의 영원한 사랑을 주창한다. 그렇다고 나 개인을 무시하고 한민족을 무시하는 것이 아니다. 두말할 것 없이 사회는 개인의 조직적 집단이고, 세계 전 인류는 국가적 내지 민족적 생활을 영유하는 제민족의 집합인 것이다. 여기서 각 개인은 각 개인의 인격으로써 사회를 조성하고 각 민족은 각 민족의 고유한 민족성을 발휘하여 전 인류의 진보 향상을 동향하는 것이다. 지금까지의 나는 이 생활 범주 안에서 생각하고 의식하고 있다. 물론 우리 가운데는 이보다 보수적인 민족주의를 고집하여 협소한 호흡을 하는 사람도 있을 것이며, 다시 여기서 더 나가 전 인류적 운동을 인식하고 있는 줄 안다. 요컨대 우리는 개인과 사회와 국가와 또한 전 인류가 유기적으로 진출하여야 하는 것을 모름지기 인식할 것이다.[29]

'개인-사회-국가-인류'가 유기적으로 이어져 있으므로 개인은 개인대로, 사회는 사회대로, 그리고 국가는 국가대로 인류의 진보를 위하여 함께 나아가야 한다는 것을 주장한다. 이런 그의 세계관이 이 시에서도 엿볼 수 있다. 그리고 그는 『신한민보』(1930년 8월 14일)에 「외로움」에 대한 자기의 철학을 짧은 글로 발표한 적이 있다. 그는 '외로움도 의례적으로 우리의 몸을 음습하는 한 개의 환영(幻影)이다.'라고 개념 짓고 그 다양한 경우를 표현한 적이 있다. 그는 외로움에 젖어 살기보다는 자기의 자세를 반성하는 하나의 계기 혹은 환상으로 귀결한다. 외로움이 시간을 넘어 언제나 인간과 함께 존재하므로 누구나 자기의 체험에 비추어 그것을 생각하고 느끼고 말한다는 사실을 직시하면서 가장 엄숙한 순간에 가장 힘 얻는 미래를 맹세하자고 강조하는 그는

---

29) 한흑구. 「이지적 감정을 논함」, 『신한민보』 1931년 2월 12일.

외로움의 시간을 넘어 좀 더 긍정적이고 힘찬 내일을 설계하고 나가기를 바라는 당대 청년들에게 화두를 던지기도 하였다.[30] 그가 말하는 '긍정적이고 힘찬 내일'에 대한 희망에 대한 시선이 이 영시에도 고스란히 묻어난다.

삶의 한순간을 관조하는 시

한세광이 1971년 그의 첫 수필집 『동해산문』을 발간할 때 서정주(徐廷柱) 시인은 수필집 '발문'에서 그를 두고 '은둔자라면 또 자진 종생의 귀양살이라도 능히 해낼 수 있는 이 묘한 은둔의 사색가, 인간을 되도록 멀찍한 거리에서 오래 두고 성찰하고 사랑하기에 초점을 모아온 이 이해자(理解者)'[31]라고 말하였다. 이후 '은둔의 사색가'라는 별칭은 한세광의 사후에도 그의 성격을 단적으로 표현하는 말이 되었다. 그가 생전에 묶어낸 두 권의 수필집을 보면 매우 사색적이고 관조적인 경향을 쉽게 접할 수 있다. 이들 수필집은 대부분 일제강점기가 지난 후에 쓴 것들을 묶은 것이지만, 그 수필들을 읽어보면 그가 젊은 날부터 유지하고 심화한 사색과 관조의 깊이를 유추할 수 있다. 그 사색과 관조의 성향은 그가 20대와 30대의 글에서도 발견된다.

그가 필라델피아에 머물 때, 안익태(安益泰)와 함께 필라델피아 미술박물관 앞 광장을 걸으면서 "나는 철학가이거든. 이렇게 천천히 걸으면서 사색을 하는 거야. 지금 우리는 이 거리를 걷고 있지만 지구 위를 한 발자국 한 발자국 걸어가고 있지 않는가 하는 사색을 하면서 걸어가는 것이야."[32]라는 자기 고백에서도 알 수 있듯이 젊은 시절부터 '사색' 혹은 '관조'하는 모습은 한세광이 지닌 행동 특성 중의 하나였던 것으로 본다. 그것이 영시에도 드러난다.

어두운 달밤에 울리는 종소리의 신비로움과 흐르는 강을 바라보며 내면세계를 되짚는 그의 시는 후일 그가 그려낸 사색과 관조의 긴 여정을 함께한 작품이 있다. 「달과 종(Moon And Bell)」이라는 시가 그것이다. 이 시는 다소 신비스러운 상상력을 동원하여 그가 몰입하는 시각과 청각의 세계를 엿볼 수 있다. 시를 감상해 보자.

---

30) 한명수. 「20대 청년 한흑구의 생활 철학을 엿볼 수 있는 토막글 11편」, 『부산수필문예』 제53호, 부산: 부산수필문인협회, 2023, 48.
31) 서정주. 「발」, 『동해산문』, 서울: 일지사, 1971, 205.
32) 한흑구. 「예술가 안익태」, 『인생산문』, 서울: 일지사, 1974, 178.

Moon And Bell

It's the midnight of shrines;
And my dreams spread their wings
Above the forest where the moon shines,
Then, from a moon-lit bell-tower, the bell rings.

It's the midnight of shrines;
And my dreams spread the wings
Above the stream where the moon shines,
Then, lightly, the last bell rings.

달과 종

한밤의 교회당;
나의 꿈들은 날개를 펼쳐
달이 비추는 숲 위로 퍼져가고,
그러면, 달빛이 비치는 종탑에서 종이 울린다.

한밤의 교회당;
나의 꿈들은 날개를 펼쳐
달이 비추는 시냇가 위로 퍼져가고,
그러면, 가볍게, 마지막 종이 울린다.

이 시는 정적이고 신비로움이 느껴진다. 달빛 아래 종탑에서 종소리가 울리는 장면이 시적 상상력을 자극한다. 깊은 내적 감성과 상상력을 담아 자아가 말하고 싶은 것은 자연과 연결된 신성한 경험이다. 시적 자아는 시간과 공간의 경계를 넘나드는 경험을 통해 새로운 영감을 얻고 있으며, 종소리는 전일(前日)의 마침이면서 동시에 후일(後日)의 시작을 알리는 소리로써 자정의 시간은 과거와 미래의 경계를 무너뜨리는 효과가 있다.

종탑에서 종이 울리는 소리는 실제로 일어나는 일일 수도 있지만, 작가의 문학적 상상력과 창의력에 기반을 둔 하나의 장면으로써 자연의 아름다움과 신비로움을 통해 내적 감정을 탐구하는 시인의 문학적 사색의 울림 혹은 가청적(可聽的) 상징으로 사용했을 수도 있다. 그것은 '내 꿈은 날개를 펴서' 자유롭게 날아오르고 싶고, 아니 자유롭게 날아올라 달빛이 비치는 숲 위로, 시냇가 위로 퍼져가는 모습과 종소리가 퍼져가는 것을 '동시적 감각'으로 표현하고 있다는 점에서 그러하다. 한밤에 울리는 종을 하루의 끝과 새로운 시작을 알리는 의식적인 행위로 받아들인다면 이는 시간의 흐름에서 형성되는 삶의 중요한 순간을 나타낼 수 있다. 울리는 종소리는 종종 내면의 목소리나 깨달음, 달빛 아래 종탑에서 울리는 종소리는 시인의 내면 깊은 곳에서 울려 퍼지는 깨달음이나 감정의 표현일 수도 있다는 것이다. 이는 시인의 소망과 이상, 상상력과 창의성, 영적인 탐구를 모두 아우르는 표현이라고 할 수 있다. 1929년 후반기, 그가 머무는 시카고 한인교회의 숙소에서 바라보는, '도시 교회당과 달밤'이 만들어 낸 한 장면을 그려보면 그가 처한 공간적 배경과 심리적 배경을 짐작할 수 있을 것이다. 한 편의 영시를 창출하기 위하여 늦은 밤까지 공부하던 그에게 창 너머 보이는 것은 달이요 달빛이며, 들리는 것은 종소리였다면 그 순간의 감흥이나 영감을 이해할 수 있지 않을까?

그가 쓴 20대의 글들에서 확인할 수 있는 것처럼, 다소 객관적이고 냉철한 판단력으로 세상과 삶을 바라보았고, 감성적이지만 결코 사사로운 외로움이나 사치처럼 느껴지는 고독을 허용하지 않았다. 그인들 외로움이 없었고, 그인들 고독하지 않았으며, 그인들 인간적인 시선으로 세상을 본 적이 없었겠는가? 그러나 그는 존재의 가치로서의 고독을 진지하게 받아들였고, 때로는 고독 자체를 즐겼던 그가 바라본 젊은 날의 강가는 어떨까? 그가 쓴 「강변에서(At Riverside)」를 감상해 보자.

At Riverside

When I sat alone at the riverside,
I saw a boy come up to the other side;
When he threw a stone into the river,
I heard an echo and saw the circling water.

When I sat alone at the riverside,
I saw a bird bathing in the evening-tide;

When shadows of willow-trees cast,

I saw the twilight lingering in the west.

강변에서

강변에 홀로 앉아 있을 때,
저편에서 한 소년이 다가오는 것을 보았네;
그가 강에 돌을 던졌을 때,
나는 메아리를 듣고 물결이 도는 것을 보았네.

강변에 홀로 앉아 있을 때,
한 새가 저녁 물결에 목욕하는 것을 보았네;
버드나무 그림자가 드리울 때,
나는 서쪽 하늘에 남아 있는 황혼을 보았네.

이 시의 전체적인 분위기는 평화롭고 고요하며, 욕심을 내려놓고 하루를 마감하는 자연의 순리에 순응하는 화자의 담담한 마음을 느낄 수 있다. 강변에 홀로 앉아 자연의 아름다움과 소소한 장면들을 관찰하며, 잔잔한 저녁의 풍경을 그려내는 화자는 소년이 돌을 던지고 그것이 물에 떨어지면서 일어나는 소리와 물결의 움직임을 바라보고 있다. 그리고 이어서 저녁 물가에서 목욕하는 새와 버드나무 그림자가 드리워지는 모습을 통해 고요하고 서정적인 저녁의 정취를 전달한다. 이러한 태도에서 사물이나 현상을 깊이 있게 관찰하고 사색하는 관조적 분위기를 엿볼 수 있다. 이런 관조와 그 안에서 도출한 사색과 그 사색에서 얻은 결론적 행동, 즉 정중동(靜中動)의 이미지에서 한국적이고 동양적인 심성을 읽을 수 있다. 자연과의 조화나 고요하고 평화로운 분위기, 버드나무 그림자와 저녁 황혼의 빛 등 섬세하고 세밀한 자연 묘사는 한국 회화와 시에서 자주 볼 수 있는 특징이다. 이러한 요소들 덕분에 이 시는 한국적 이미지를 담고 있다고 해도 무리는 아니다.

'메아리를 듣고 물결이 도는 것'은 강가에서 홀로 있는 시인이 메아리를 듣고 파문을 보며 깊은 생각에 잠기는 순간의 표현이다. 시인이 던진 질문이나 생각이 다시 돌아오거나 과거의 소리가 다시 돌아오는 것처럼 메아리는 시인의 과거 기억이나 감정이 다시 떠오르는 것을 상징할 수도 있다. '저녁 물결 속에서 목욕하는 새'가 보여주는 소소한 행복, '서쪽 하늘에 머무는 황혼'에서 드러나는 시인의 고독과 사색을 통해 자신이 처한 현실적인 여러 문제에 대한 감정과 경험을 정리하는 것으로 보인다.

이 시는 단순한 언어로 강렬한 이미지를 그려내고, 규칙적인 리듬과 운율로 읽기 쉽고 음악적인 느낌을 주며, 자연의 아름다움과 고독 속에서의 사색을 주제로 다루어 독자의 공감을 끌어낸다. 언어의 사용, 이미지와 상징, 리듬과 운율, 주제의 깊이 측면에서 영시로서 완성도가 높다고 판단한다.

이별과 그리움의 시

한세광이 영시를 쓰고, 현재까지는 공식적으로 발표한 첫 작품이 「You And I」이다. 물론 *North Park College News*에 발표할 때 6편을 동시에 발표했지만, 그 가운데 맨 처음 나오는 것이기 때문에 첫 작품이라고 규정하였다. 현재까지는 그러하다. 작품을 감상해 보자.

You And I

When my kerchief was wet with my tears—
  "Don't weep! Don't weep!"
You told me that when you left me.

When your kerchief was wet with your tears—
  "Don't forget what you said before!"
I told you that when I left you.

My heart leaps up when I behold
  A bridge on the stream;
There is also a bridge in my heart
  Where you and I whispered a moonlight story.

너와 나

내 수건이 내 눈물로 젖었을 때 −
　"울지 마! 울지 마!"
네가 나를 떠날 때 했던 말이었지.

네 수건이 네 눈물로 젖었을 때 −
　"이전에 네가 말한 것을 잊지 말아줘!"
네가 떠날 때 내가 말했었지.

시내의 다리를 보면
　내 마음은 북받쳐 오르지;
내 마음에도 다리가 있어
　너와 내가 달빛 이야기를 나눴던 곳.

　이 시는 감성적이고, 애틋하며, 서정적이다. 두 사람이 서로에게 작별을 고하는 순간의 감정을 묘사하면서 눈물 젖은 손수건과 작별의 말들이 그리움과 슬픔을 나타내고 있다. 시의 마지막 부분에서는 두 사람의 추억을 회상하며, 달빛 아래서 나눈 이야기가 그들의 마음에 다리처럼 남아 있다는 표현이 그 정점을 이룬다.

　'내 마음의 다리'라는 표현은 상징적인 의미를 담고 있다. 물리적으로 떨어져 있어도 두 사람의 마음이 여전히 연결되었다는 것, 그 장소는 그들의 추억이 서린 공간이라는 것, 외부 세계와는 별개로 두 사람만의 내면적인 소통과 교감이 이루어졌던 곳임을 상기하여 두 사람 사이의 깊고 특별한 감정적 유대와 그들이 공유한 소중한 추억을 상징적으로 표현한 것이라고 이해할 수 있다.

　구체적이고 상세한 묘사를 통하여 독자는 이 시가 지은이의 직접적인 체험을 반영한 것인지에 관심이 간다. '이별과 그리움'은 많은 사람에게 보편적인 주제이기 때문에, 지은이가 자기 경험이 아닌 다른 사람들의 이야기를 문학 작품으로서의 상상력과 창의성을 바탕으로 일반적인 이별의 감정을 표현했을 가능성도 있다. 필자가 그렇게 생각하는 이유는 한세광이 겪은 첫사랑의 이별 경험이 1931년에 있었기 때문이다.

　1931년 어느 날, 그는 스웨덴 여학생 '알바(Alvar)'와 이별을 경험하게 된다. 그녀는 스웨덴 사람이지만 그 당시 미시간(Michigan)주의 아이런 마운틴(Iron Mountain)

의 한 교회에서 목사로 지내던 아버지를 따라 미국에 왔었다. 한세광이 후일 조선으로 귀국한 후 지난 시간을 회고한 수필 중의 하나인 「슬펐던 이별」에 보면 '황금색 머리털과 하늘색 푸른 눈동자를 소유한 미모의 처녀'와 빠진 첫사랑의 불행 이야기를 기록해 두었다. 그 가운데 이런 내용이 있다.

> 여자에게 대한 애정이나 연애라는 것을 도무지 감촉해 보지 못한 나는 그가 그처럼 나를 떠나간 후에야 나는 비로소 여자에 대한 사랑이 어떠하다는 것을 느끼게 되었다. 그러나 그때는 이미 그가 나의 눈앞을 떠나서 멀리 눈 내리는 북쪽 나라 서전에 가 있었고 나도 첫사랑의 불행이라는 것을 체험해 보았다. 그를 떠나보내던 그때는 나는 슬픈 것도 아무것도 모르리만큼 무경험한 사나이였다. (중략) 실로 사나이라는 것은 자기의 경험이 없는 일에는 참으로 어리석고 바보이라는 것을 그때 나는 깨닫게 되었다. 지금도 그의 생각을 하고는 나 혼자 어리석던 생각을 하고 웃음 지우게 된다.[33]

그녀는 한세광과 같은 학년이었으며, 1931년 그와 함께 시인클럽에서 활동하였다. 그녀가 1931년 5월에 발행한 *Pegasus* 제2집에 시를 발표한 것으로 보아 최소한 한세광이 그녀와 이별한 시점은 1931년 5월 이후라고 할 수 있다. 「You And I」를 발표한 것은 1929년 10월이니, 이 작품이 그녀와 이별한 경험을 바탕으로 쓰인 것이 아님은 판명되었다. 한세광이 정확하게 '첫사랑의 불행'이라고 표현한 것으로 봐서 이 시의 이별과 그리움의 경험은 문학적 상상력과 창의력에 좀 더 무게가 실린 것으로 판단한다. 결국 이 시는 독자의 경험과 감정을 투영해 해석할 수 있는 여지를 남겨두고, 보편적인 인간 감정을 아름답게 표현한 작품이라고 할 수 있다.

4.2. 영역시

한세광은 한국 시인의 시 2편과 일본 작가의 시 1편, 그리고 한국의 고시조 2편과 일본의 현대 민요 1편 등 모두 6편의 작품을 번역하고 발표하였다. 한국 시인 시 2편은 누구의 작품인지는 드러나 있지 않고, 작품의 끝에 출처만 밝혀 놓았고, 일본 작가

---

33) 한흑구, 「슬펐던 이별」, 『부인공론』 제1권 제3호(1936년 7월), 130-131.

의 시 1편에는 작가의 이름과 출처까지 밝혀 놓았다. 그리고 한국의 고시조와 현대 일본 민요는 출처도 작가도 밝혀 놓지 않았다. 왜 그랬을까? 그 이유는 상식적인 측면에서 살펴볼 수 있다. 그 당시 우리나라 사람들은 전통적으로 이어온 우리의 고시조 몇 편은 기본적으로 암송하던 시기였다. 자기가 좋아하거나 아니면 교육상 필요해서 전수했던 작품 몇 편 정도는 암송할 수 있었다. 청소년기부터 시에 관심이 많았던 한세광은 우리의 고시조뿐만 아니라 그가 존경하는 작가의 시들을 암송하기도 하였다.34) 그러므로 그가 고시조를 암송한다는 것은 자연스러운 일이었다. 그리고 일본의 현대 민요도 마찬가지였을 것이다. 그 당시는 우리나라가 일제강점기 상황이었고, 일본문화의 전파에 따른 일본 민요의 조선 전파는 자연스럽게 이루어졌다. 한세광이 일본 민요를 알고 있었던 것은 그런 시대적 상황의 영향이다. 그가 고시조를 암송하던 것처럼 일본 민요 역시 그러했을 것으로 추측한다.

실제로 일본의 민요가 문자로 기록된 것은 1914년에 편찬된 『리요슈(俚謠集)』가 그 처음이며, 이후 NHK에 의해 1939년에 시작되어 1993년까지 반세기에 걸쳐 완성되어 편찬한 『일본민요대관(日本民謠大觀)』이 있다.35) 이런 상황을 보더라도 한세광이 문자로 기록된 일본 민요를 번역할 가능성을 그리 높지 않다. 그리고 우리나라의 고시조는 문자로 기록하여 전해오는 것도 있었지만, 그 특성상 노래로 불리었고, 그 제목 또한 정해진 것이 없었다. 필자도 우리의 이런 전통에 힘입어 고시조 몇 편은 암송하는 터이고, 고전문학을 정식으로 공부하였으므로 한세광이 번역한 2편의 고시조는 그 내용을 보고 그것이 어떤 작품인지를 알아내기는 어려운 일이 아니었다.

한세광의 분류대로 출처와 작가가 분명한 한국시 2편과 일본시 1편을 먼저 살펴보고, 그다음 우리의 고시조 2편과 일본 민요 1편을 살펴보도록 하자.

한국시 2편과 일본시 1편

한세광은 1926년 10월 조선통신중학관(朝鮮通信中學館)에서 간행한 우리나라 최초의 사화집(詞華集)인 『조선시인선집(朝鮮詩人選集)』을 미국으로 가지고 간 것으로 보인다. 이 사화집은 조태연(趙台衍)이 그의 서문과 함께 한국의 대표 시인 28명의 시 작품 138편을 수록하고 있다. 한세광이 영역시의 끝에 'Korean Poets Collection'이

---

34) 한흑구. 「파인과 최정희」, 『인생산문』, 서울: 일지사, 1974, 147.
35) 임혜정. 「근대 이후 일본의 민요 전승」, 『동양음악』 제37집, 서울대학교 동양음악연구소, 2015, 60-61.

라고 적은 것은 바로 『조선시인선집』을 말한다. 필자는 다행스럽게 당시 한세광이 애독하였던 그 책의 초판을 볼 수 있었다. 그래서 그가 인용한 작품을 옮기면서 현대맞춤법에 맞게 적고, 나머지는 원문 그대로 살려두었다. 한세광은 노자영(盧子泳)36)의 시 「장미(薔薇)」와 양주동(梁柱東)37)의 시 「소곡(小曲)」을 영어로 번역하여 발표하였다. 작품을 보면 다음과 같다. 작품의 이해를 위해 원작을 함께 제시한다. 먼저 노자영의 작품부터 감상해 보자.

장미(薔薇)

장미(薔薇)가 곱다고
꺾어보니까
꽃포기마다
가시입디다.

사랑이 좋다고
따라가 보니까
그 사랑 속에는
눈물이 있어요…………

그러나 사람은
모든 사람은
가시의 장미(薔薇)를 꺾지 못해서
그 눈물 사랑을 얻지 못해서
섧다고, 섧다고, 부르는구려.38)

---

36) 노자영(盧子泳, 1898~1940)의 시는 낭만적 감상주의로 일관되고 있으나 때로는 신선한 감각을 보여주기도 한다. 산문에서도 소녀 취향의 문장으로 명성을 떨쳤다. 국어국문학편찬위원회, 「노자영」, 『국어국문학자료사전』, 서울: 한국사전연구사, 1999, 690. 1934년 한세광이 조선에 귀국하였을 때, 그와 함께 『신인문학(新人文學)』을 보급하기도 하는 등 문단 교우 관계를 이어갔다.
37) 양주동(梁柱東, 1903~1977)은 『금성(金星)』 동인으로 등장하여(1923) 민족주의적 성향의 시를 주로 썼다. 시집 『조선의 맥박』(1930)은 그의 대표작이기도 한데, 그의 시들이 가지는 성격을 잘 보여준다. 국어국문학편찬위원회. 「양주동」, 『국어국문학자료사전』, 서울: 한국사전연구사, 1999, 1899. 한세광은 미국 유학 시절에 그의 시를 교민들 앞에서 암송하곤 했다.
38) 노자영. 「장미」, 『조선시인선집』(조태연 편), 경성: 조선통신중학관, 1926, 95-96.

The Rose Flower

"The rose flower is beautiful," they say;
    So I tried and picked it,
And I found a sharp and frightful thorn with it.

"Love is best," they say;
    So I sought and followed it,
And I found mournful tears with it.

"I am unhappy," they say,
    And they mourn and fail to get these;
But they don't know what they are!

장미의 아름다움과 가시, 사랑의 달콤함과 눈물, 그리고 사람들이 그것을 얻지 못해 슬퍼하는 내용이 명확하게 드러나는 것으로 미루어 한세광은 원문 시의 핵심 의미를 충실하게 전달하려고 노력한 것으로 보인다. 구조적으로 원문과 유사하게 그 느낌을 전달하고 있으며, 'sharp and frightful thorn', 'mournful tears'와 같은 어휘 선택은 감정의 강도를 잘 전달하는 것으로 판단한다. 그러나 원문은 화자가 직접 경험을 이야기하는 반면, 번역문은 'they say'라는 표현이 반복되어 주체가 불분명해질 가능성도 보인다. 영시 특유의 리듬과 운율을 살리는 것도 중요하고, 말하는 주체를 살리는 것도 주요한 일이다. 번역의 어려움이 바로 그런 것이 아닌가 생각해 본다.

다음은 양주동의 작품이다. 한세광은 미주에 사는 한인들에게 고국의 시인들이 쓴 좋은 시들을 낭송해주곤 하였는데, 양주동도 그가 좋아하는 시인 중의 한 사람이었다. 한세광은 양주동의 시 제목인 「소곡(小曲)」을 「삶과 죽음(Life And Death)」으로 번역하였다. 소곡은 일반적으로 짧은 음악 작품이나 작은 노래를 의미하는 용어인데, 인생의 깊은 의문 중의 하나인 「삶과 죽음」으로 표현한 이유는 무엇일까? '소곡(小曲)'을 영어로 번역하는 방법은 문맥에 따라 다를 수 있다. 우선 원문과 번역문을 함께 감상해 보자.

소곡(小曲)

삶이란 무엇? 빛이며
운동(運動)이며, 그것의 조화(調和) –
보라, 창공(蒼空)에 날려가는
하얀 새 두 마리.
구름 속으로,
뜰 앞에 꽃 한 송이
절로 진다.

오 죽음은! 소리며,
정지(靜止)며, 그것의 전율(戰慄) –
들어라, 대지(大地) 위에 흩날리는
낙화(落花)의 울음을.39)

Life And Death

What is life?
It is motion;
It is color;
And it is harmony;
Behold, the blue sky
Where two white birds are flying!

I see a fallen flower
In a gloomy garden.

Oh, what is death?
It is rest;
It is the last sound;

---

39) 양주동. 「소곡」, 『조선시인선집』(조태연 편), 경성: 조선통신중학관, 1926, 87-88.

And it is horror;

Hear, the cry, of a fallen flower

Which shocks the heart of the ground.

　시의 내용을 보면, 삶과 죽음, 그리고 이 둘 사이의 대비와 상호작용이 그 중심에 있다. 삶의 활기와 죽음의 정지, 삶과 죽음 각각에 대한 이미지와 감정이 시 전반에 걸쳐 전달되므로 한세광이 '삶과 죽음'이라는 제목은 이러한 내용을 가장 잘 요약하고 있다고 판단한다. 우리말 제목을 바로 번역하여 '소곡'으로만 두면 작품의 내용을 정확하게 전달하기 어려울 수 있다. '삶과 죽음'이라는 번역은 시 전체의 주제와 감정을 충분히 반영하고 있고, 독자들도 작품의 내용을 쉽게 이해하도록 도와준다. 그런 면에서 제목에 대한 한세광의 선택은 적확하다고 하겠다. 다만 원작자의 의도는 이 시가 삶과 죽음에 대한 철학적 깊이와 넓이를 아우르는 '큰 시'라는 의미보다 작가가 생각하기에 인생의 한 측면에서 사색한 작은 노래 정도였을 것으로 추측한다.

　번역문은 원문의 구조와 형식을 비교적 잘 유지하고 있을 뿐만 아니라 읽기에 어렵지 않다. 특히 'Behold, the blue sky / Where two white birds are flying!'에서 두 마리 하얀 새가 창공을 나는 이미지를 잘 전달하고 있고, 원문의 시각적 이미지를 비교적 효과적으로 옮긴 부분으로 판단한다. 그리고 '구름 속으로'와 같은 중요한 디테일을 '구름+뜰'의 이미지로 함축하여 표현함으로써 원작의 이미지를 더욱 압축적으로 보여준다. 자칫 '구름 속으로'라는 것이 이 번역에서 생략되어 원문의 전체적인 이미지를 완성하는 데 미세한 흠집이 될 수 있다고 생각할 수도 있지만, 전체를 감상해 본다면 그런 이미지가 더욱 감각적으로 표현되어 있음을 알 수 있다. 또한 11행의 원작을 14행으로 표현한 것도 그런 압축만으로 느끼기 어려운 원작의 감성을 최대한 살리기 위한 것이고, 영시가 지닌 운율까지 고려한 것으로 본다.

　그리고 한세광은 일본 작가 도쿠토미 로카(德冨蘆花)[40]가 1900년에 출간한 『자연과 인생』의 상남잡필(湘南雜筆)의 첫머리에 적힌 시를 번역하여 발표하였다. 그의 번역은 이러하다.

---

40) 도쿠토미 로카(德冨蘆花·1868~1927)는 구마모토(熊本)에서 출생하였고, 도시샤(同志社) 대학을 중퇴하였다. 일찍이 그리스도교 신자가 된 후 전도에 종사했으며, 1889년 그의 형 도쿠토미 소호의 민우사에 입사하여 번역과 창작에 몰입한 뒤 『불여귀(不如歸)』(1898)를 발표하여 일약 문단의 총아가 되었다. 荒正人.「解說」, 『自然と人生』, 東京: 岩波書店, 1980(第59刷), 249-255 참조. 한세광은 『자연과 인생』(1900년)에 발표된 시 한 편을 번역하였다.

Clouds

Gray cloud!
　　White cloud!
They are all the same clouds!
　　But I am a white cloud,
And I fly from end to end in the sky.

　한세광은 왜 도쿠토미 로카의 많은 글 중에서 이 구절을 택했을까? 우리가 이미 알고 있는 것처럼 로카는 그의 작품을 통하여 배금주의와 구미화주의에 물드는 일본을 자주 비판한 작가이다. 그 당시 메이지 정부는 근대화 정책의 하나로 자본주의를 도입하여 부국강병을 목표로 근대화 정책을 시행하고 있었고, 그 여파로 금전지상주의의 물결이 소박한 농촌에까지 침투했다. 로카는 바로 이런 현상을 슬퍼하였다. 『자연과 인생』의 「전원의 연기(田家の煙)」에서 '날아가는 연기와 같은 높은 이상의 실현'[41]을 꿈꾼 것처럼 흰 구름을 자신의 이상에 비유한 것이다. 바로 한세광이 인용하여 번역한 그것이 바로 이런 이상과 연결되어 있다. 금전에 지배되는 도시의 생활은 생존경쟁에 휩싸여 자유를 얻을 수 없다. 출세보다 자유로운 삶이 로카가 꿈꾸는 삶이듯이[42] 한세광 역시 그런 삶을 이상으로 삼았기 때문에 이 구절을 택한 것으로 판단한다.

　한세광은 이 시의 제목에 '구름(Clouds)'이라고 달았지만, 원작에는 제목이 없다. 대신 시가 시작하는 머리맡에 '家兄官に就かれし頃 / 戯によみて送りける'(형님이 관직에 오르셨을 때 / 장난으로 시를 지어 보냈다.[43]이라는 구절이 적혀있다. 그의 형은 도쿠토미 소호(德冨蘇峰, 1863~1957)인데, 메이지 시대부터 전후까지 역사가, 평론가, 시인으로 이름을 날렸다. 소호는 1910년 9월부터는 데라우치 마사타케 당시 총독의 요청으로 조선총독부 기관지인 『경성일보』의 감독을 맡기도 했다. 이러한 이유로 우리에게 도쿠토미 소호는 제국주의자, 또는 팽창주의자, 언론인으로 잘 알려져 있다.[44] 로카와 소호는 형제지간이지만 성격도 다르고, 세상을 보는 시각에도 많은 차이가 있는 듯하다. 소호가 관직에 오르자, 이 시를 보냈다는 것은 바로 관직이 주는 현

---

41) 德冨蘆花,「田家の煙」,『自然と人生』, 東京: 岩波書店, 1980(第59刷), 104.
42) 細見典子,『德冨蘆花の初期作品考察-〈自然三部作〉の成立背景と作品世界を中心に』, 濟州大學校 大學院 日語日文學科 博士學位論文, 2015, 31.
43) 德冨蘆花,『自然と人生』, 東京: 岩波書店, 1980(第59刷), 156.
44) 그에 관해서는 정일성의 『도쿠토미 소호』, 서울: 지식산업사, 2005를 참조할 것.

세적 명예가 얼마나 허무하며, 얼마나 속박적(束縛的)인가에 대한 그의 뜻이 담긴 것으로 본다. 그런 세계관을 읽고 한세광이 번역한 것으로 보인다. 그가 번역한 작품의 원문은 이러하다.

> 青い雲
>   白い雲
> 同じ雲でもわしや白雲よ
>   わがまま気ままに
>   空を飛ぶ[45)]

이를 우리말로 직역하면 이러하다.

> 파란 구름
>   흰 구름
> 같은 구름이라도 나는야 흰 구름
>   제멋대로 마음대로
> 하늘을 날아다닌다

  일반적으로 '青い雲'은 영어로 번역할 때 'Blue cloud'로 번역할 수 있다. 한세광은 이를 'Gray cloud'로 번역하였다. 그가 번역한 'Gray cloud'를 일본어로 옮기면 '灰色の雲' 또는 'グレーの雲'으로 번역된다. '青い雲'을 'Gray cloud'로 번역하는 것은 일반적이지 않은 것임을 고려할 때 그가 이렇게 번역한 것에는 이유가 있을 것이다. 무엇일까? 그것은 구름 색깔에 대한 그의 시각 혹은 감정이나 정서의 문제이다. 위의 시에서 '白'의 상대적 색으로 제시된 '青'은 '푸르다'는 의미가 아니라, 흰색의 순수함에 대비되는 색임을 말한다. 즉 순수하지 않은 색, 혼탁한 색이라는 의미로 'gray'라고 번역한 것이다. 실제로 파란색을 띤 구름은 없지 않은가? 그리고 그가 번역한 'I fly from end to end in the sky.'는 원문의 'わがまま気ままに / 空を飛ぶ'에 해당하는데, 문자 그대로 번역하면 이렇게 나올 수가 없다. 일본어에서 'わがまま気ままに'는 '자유롭게, 마음대로, 제멋대로' 등의 뉘앙스를 가지고 있으며, '空を飛ぶ'은 '하늘

---

45) 德冨蘆花. 『自然と人生』, 東京: 岩波書店, 1980(第59刷), 156.

을 날다'라는 의미이다. 그래서 이를 원문대로 번역한다면 'I fly freely and carefree through the sky.', 'I fly through the sky, free and unrestrained.' 정도가 될 것이다. 그렇다면 한세광의 번역이 틀리거나 잘못되었다는 것인가? 아니다. 문자적 번역보다 훨씬 더 작가의 의도에 가깝게, 훨씬 더 시적으로 번역하였다는 뜻이다. 하늘 끝에서 하늘 끝까지 날아다니는 것보다 더 '자유롭게' 날아다니는 표현은 어떤 것이 있겠는가?

한국 고시조 2편과 일본 민요 1편

위에서 언급한 대로 한세광은 한국 고시조(古時調) 2편과 일본 민요(民謠) 1편을 번역 소개하면서 그 출처를 적지 않은 것은 당시 문화적 배경을 고려할 때, 암송 중심의 작품을 영어로 옮긴 것으로 생각한다. 출처를 명확히 알 수 없는 것일 수도 있기 때문이다. 대신 그는 영어로 옮긴 작품의 성격을 분명히 밝히고 있다. 「Korean Poems」라고 자기가 제목을 단 작품 밑에는 'From the Classic Korean'이라고 그 장르를 밝히고 있으며, 일본 민요인 「I Am A Withered Grass」 밑에는 'Modern Japanese Folk Song'이라고 분명히 밝히고 있다.

고시조에는 작품에 제목이 없어서 그 작품을 지칭할 때 편의상 초장의 첫 구를 빌려서 그렇게 말한다. 그러나 한세광은 편의상 'Korean Poems'라는 제목을 달고 두 작품을 소개하였다. 이에 필자도 그의 결정을 존중하는 뜻에서 이 글에서는 첫 번째 시조를 'KP-1', 두 번째 시조를 'KP-2'라고 칭한다.

'KP-1'은 조선 왕족인 이정(李婷)의 작품이다. 그는 조선의 제9대 왕인 성종(成宗) 임금의 형으로서 월산대군(月山大君)이라고 부른다.[46] 그가 남긴 유일한 시조로써 후대에 많은 이들이 애송하는 작품이기도 하다.

이 작품은 가을 강이 고요히 흐르는 가운데 밤이 찾아드니 물결이 차게 느껴지는데, 낚싯대를 던져보아도 고기는 잡히지를 않고, 욕심 없는 맑은 달빛을 싣고 빈 배를 저어 한가하고 여유롭게 돌아온다는 내용이다. 달밤의 강에서 낚싯대를 드리우고 있는 모습은 한 폭의 한국화를 보는 듯하고, 물질적 욕망과 세속적인 명리를 넘어선 작가의 유유자적한 삶의 한순간에 몰입한 물심일여(物心一如)의 정신을 읽을 수 있다. '빈

---

46) 이정(李婷, 1455-1489)은 서사를 즐겨 읽으며 시문에도 능하여 그의 시가 명나라까지 전해지기도 했다. 산수와 풍류를 좋아했던 그는 근교에 별장을 두고 자주 나가 풍류를 즐기곤 하였으나 35세의 젊은 나이로 죽고 말았다. 김기동 외 4인. 『완해 시조문학』, 서울: 서음출판사, 1983, 49.

배'인데도 '달빛'을 가득 실었다는 역설적 표현은 이 시의 격을 한층 더 높이는 효과를 가져온다. 전체적으로 한국적 사유 방식 혹은 동양적 사유 방식을 보여주는 걸작이고 할 수 있다. 한세광이 번역한 이 작품의 원작을 보면 이러하다.

추강(秋江)에 밤이 드니 물결이 차노매라
낚시 드리우니 고기 아니 무노매라
무심한 달빛만 가득 싣고서 빈 배 홀로 오노매라[47]

그는 이렇게 번역했다.

'KP-1'
Night on the Autumn river,
Waves on the water sleeping,
The line is cast,
The fishes do not bite,
Unfeeling moonlight only
In an empty home-returning boat.

이 시는 전체적으로 원작의 분위기를 잘 살리고 시적으로 잘 표현되었다. 가장 눈에 들어오는 것은 시의 이미지와 감정을 전달하는 데 성공하고 있다는 점이다. 물결이 잠들어 있는 모습, 낚싯줄이 드리워져 있지만 물고기가 물지 않는 모습, 그리고 감정 없는 달빛 아래 집으로 돌아가는 빈 배의 이미지는 강렬하다. 하지만 영어로서의 유창성과 리듬감을 조금 더 다듬을 수 있었다면 더욱 원작의 의미와 감정을 유지하면서도 영어로서의 유창성과 시적 감각을 살릴 수 있었으리라는 생각도 든다. 예를 들면, 'Waves on the water sleeping,'을 'The waves are sleeping on the water'로 바꾸면 더욱 자연스러울 것 같고, 'The fishes do not bite,'를 'But the fish do not bite'로 바꾸면, 낚시줄을 드리운 후 물고기가 물지 않는 상황을 강조할 수 있다.

---

47) 이 시조는 중국 고시(古詩) '千尺絲綸直下垂(천척사륜직하수; 천 척이나 되는 긴 낚싯줄을 곧장 드리우니) 一波自動萬波隨(일파자동만파수라; 한 물결이 일어나고 자동으로 만 가지 물결이 따라서 일어나네) 夜靜水寒魚不食(야정수한어불식; 밤은 고요하고 물은 차가워서 고기가 물지를 않으니) 滿船空載月明歸(만선공재월명귀; 텅빈 배에 가득히 허공과 밝은 달빛만 싣고 돌아오는구나)'를 의역한 작품으로 전해진다. 김기동 외 4인. 『완해 시조문학』, 서울: 서음출판사, 1983, 49; 정병욱. 작품번호 2136, 『시조문학사전』, 서울: 청구문화사, 1980, 498.

'Unfeeling moonlight only'를 'Only the unfeeling moonlight'로 하면 좀 더 자연스럽고, 'In an empty home-returning boat.'를 'In an empty, homeward-bound boat'로 하면 자연스러운 영어 표현이 되기도 한다. 그러나 필자는 한세광이 취한 번역의 시선으로 돌아가 본다. 그는 필자가 제안한 사항들보다 훨씬 더 간결하고 함축적인 표현을 쓰려고 노력한 것으로 보인다. 그것은 영시와 우리의 고시조가 지닌 기본적인 운율이 다르고, 더욱이 시조가 지닌 3장 6구의 완결미와 함축성, 그리고 자수율 등을 깊이 고려한 것으로 보인다. 어쩌면 그는 필자가 제안한 이런 사항들을 이미 알고 있었을지도 모른다.

다음에 감상할 시조는 조선시대 여류시인 계랑(桂娘)의 작품 'KP-2'이다. 그녀는 당대 많은 사대부와 교유하였다. 가까이 지낸 사람은 유희경(劉希慶, 1545~1636)과 허균(許筠, 1569~1618), 이귀(李貴, 1557~1633)이며, 이 중 유희경과는 각별한 애정을 나누었다고 전해진다. 『가곡원류(歌曲源流)』에는 매창의 시조인 '이화우(梨花雨) 흩뿌릴 제~'를 싣고 그 아래 "계랑은 부안의 이름난 기생이다. 시에 능했으며 『매창집』이 있다. 유희경의 애인이었는데 촌은이 서울로 돌아간 뒤 아무런 소식이 없자 이 노래를 짓고 절개를 지켰다."라는 주를 덧붙여 매창이 비록 기녀이지만 절개를 지켰음을 밝히고 있다.[48] 한세광이 번역한 'KP-2'는 바로 그의 애인 유희경을 생각하며 쓴 비가(悲歌)이다.

사랑하는 이를 떠나보낸 뒤 세월이 빠르게 흐른다는 것을 노래하지만, '이화우'와 '추풍낙엽'을 대구(對句) 시켜 더욱 실감이 나게 표현하고 있다. 사랑하는 이를 만날 수 없어 꿈속에서만 볼 수 있는 안타까움에 애는 타지만, '저도 나를 잊지 못해 꿈길에 찾아오는 것'이라고 자기를 위안하고 있다. 사랑하는 이와 이별한 뒤 시간적 거리감과 공간적 거리감이 조화를 이룬 수작으로써 여성의 섬세한 감각이 돋보이는 작품이다. 'KP-1'과 마찬가지로 이 작품도 후대에 널리 애송되는 작품이다. 한세광이 번역하여 소개한 이 작품의 원작은 이러하다.

이화우(梨花雨) 흩뿌릴 제 울며 잡고 이별한 임
추풍낙엽(秋風落葉)에 저도 날 생각는가
천 리에 외로운 꿈만 오락가락 하노매[49]

---

48) 계랑(桂娘, 1573~1610)은 조선의 여류시인이며, 본명은 이향금(李香今)이다. 시조 및 한시 70여 수가 전하고 있다. 국어국문학편찬위원회, 「계랑」, 『국어국문학자료사전』, 한국사전연구사, 1999; 조연숙. 『한국고전여성시사』, 서울: 국학자료원, 2011, 147; 232~234.

그는 이렇게 번역했다.

'KP-2'

Spendthrift peach blossoms were raining down,
When after weeping embraces my lover departed.
Now in the Autumn wind the leaves drift,
And I wonder if he, too, is thinking
Thousands of miles away of the same lonesome dream
Which alone lingers, when all else is gone.

하얀 배꽃이 비처럼 흩날리던 봄날, 임과 서럽게 이별했는데 벌써 낙엽 지는 가을이다. 그는 그 오랜 시간 동안 내가 임을 생각하는 것처럼 임도 나를 생각하는지 알 수 없어 안타까울 따름이다. 기녀는 사회적 공물(公物)이기에 한 명의 임을 온전히 차지할 수 없다. 이런 자신의 비애를 알기에 그는 임과의 온전한 사랑을 '꿈'에 비유하고 있다.[50]

한세광의 번역은 사랑하는 이와의 이별 후 가슴에 남아 있는 감정과 고독을 가을 풍경과 연결하여 표현한 것으로 전체적으로 시적 표현이 풍부하고 원작의 분위기를 잘 전달하고 있다. 시의 번역과 시적 완성도를 평가하는 것은 주관적일 수 있지만, 원래 시의 의미와 감정을 유지하면서 영어로 자연스럽게 표현하는 것이 중요하다. 의미와 감정을 정확하게 전달한다는 차원에서 몇 가지 의견을 제시해 본다. 자연스러운 문장의 도출이라는 측면에서 볼 때, 'When after weeping embraces my lover departed.'의 다소 어색한 문장 구조를 'After tearful embraces, my lover departed.'로 바꾼다거나 'Now in the Autumn wind the leaves drift,'도 훌륭한 표현이지만, 'Now, in the autumn wind, leaves drift,'로 쉼표를 추가하여 리듬을 살릴 수도 있다. 그의 표현에서 가장 놀라운 것은 'Spendthrift'라는 단어를 선택한 것이다. 원작의 내용으로 볼 때 'Lavish'이나 'Abundant' 혹은 'Drifting'과 같은 단어를 선택할 수도 있었다. 하지만 그는 '흩뿌릴'의 과감함을 강조하려는 의도였는지

---

49) 김기동 외 4인. 『완해 시조문학』, 서울: 서음출판사, 1983, 137; 정병욱. 작품번호 1701, 『시조문학사전』, 서울: 청구문화사, 1980, 396.
50) 조연숙. 앞의 책, 148.

'Spendthrift'를 사용하였다. 이것은 매우 시적이고 흥미로운 선택이라고 본다. 또 '오락가락 하노매'를 'Which alone lingers, when all else is gone.'으로 옮김으로써 꿈이 오락가락하는 모습보다는 남아 있는 꿈을 강조하는 표현은 매우 적절하다고 본다.

전체적으로 원작의 감정과 이미지를 잘 살리면서 영어로 자연스럽게 번역한 부분이 돋보인다. 'KP-1'에서 말한 것처럼 한세광은 영시로서의 리듬도 중요하지만, 고시조 고유의 리듬을 생각하지 않을 수 없었을 것이다. 시조가 지닌 형태상의 특징인 3·4조 혹은 4·4조의 음수율(音數律)과 6구체 중심의 구수율(句數律)을 어떻게 영어로 표현해야 할지를 무척 고민했을 것으로 본다. 특히 시조의 독특한 특징인 종장의 1, 2구를 영어로 표현한다는 것은 여간 어려운 일이 아니었을 것이다. 두 시조 번역의 형태에서 보듯이 그는 각각의 시조를 6행으로 번역했다. 이는 시조의 3장 6구에서 1구를 1행으로 번역하여 형태상으로 시조와 근접한 형태로 옮겨보려고 시도하였다는 점을 높이 평가한다.

다음은 한세광이 작품 끝에 'Modern Japanese Folk Song'이라고 장르를 밝혀 놓은 일본 현대민요 한 수이다. 제목은 「나는 시든 풀(I Am A Withered Grass)」이다. 우선 그가 번역한 작품을 감상해 보자.

I Am A Withered Grass

I am a withered grass on the river bank,
  And you are also a withered grass
    Which has not any flower.

Why are we withered grass-blades in this earth —
  You and I in this lone place
    Where we only hear the sorrowful song of the boat-men?

나는 시든 풀

나는 강둑의 시든 풀,
  그리고 너도 역시
    꽃 한 송이 없이 시든 풀.

우리는 왜 이 땅의 시든 풀이여야 하나?
　　　　너와 내가 이 외로운 곳에서
　　　　　뱃사공의 슬픈 노래만 듣는 -.

　　일본에서 다이쇼(大正) 시대 이후 신민요운동(新民謠運動)이 벌어지고 도시가 아닌 각 지방 서민의 전통적인 노래를 '민요'라고 불렀는데,51) '현대 일본 민요'라는 것이 이런 배경에서 나온 것이라면, 이 민요는 1900년대 일본 사회와 문화가 변화를 염두에 두는 것이 옳을 것 같다.

　　이 민요의 전체적인 분위기는 매우 절망적이고 고독하며, 무력감을 느끼는 것 같다. 화자는 강둑에 있는 시든 풀처럼 존재하며, 그와 같은 처지에 있는 다른 이를 직접적으로 언급한다. 그리고 이들은 꽃이 피지 않는 시든 풀로 묘사하며 뱃사공의 슬픈 노래만 들리는 곳에서 시든 풀이 되었는지에 대한 의문을 품는다. 이 민요는 그 시대의 변화와 사람들의 감정을 담고 있으며, 특히 삶의 무력감과 고독감을 깊이 있게 묘사하고 있다.

　　한세광의 번역은 이 민요가 담고 있는 화자의 심리적 감정을 적확하게 전달한다는 점에서 성공적이다. 명사구와 형용사구로 구성하여 미묘한 의미와 감정을 전달할 뿐만 아니라 절망적이고 고독한 분위기를 효과적으로 전달한다.

---

51) 임혜정. 앞의 논문, 58-59.

5
영역산문

  한세광은 자기의 창작품이 아닌 산문(이야기) 1편을 *North Park College News*에 소개하였다. 그 내용을 읽어보면 그의 창작이라기보다는 일본 어느 가정의 이야기를 옮겨 놓은 인상을 받는다.

  그가 부제로 사용한 "'From 'Fuji-Mura's Reader,' a Japanese reader."를 문자 대로 해석하면 '후지무라의 독자, 일본 독자로부터'라는 모호한 표현이다. 이 'From 'Fuji-Mura's Reader,'는 한세광이 가지고 있었거나 읽었던 책 혹은 잡지로 여겨지며, 일본 문학에 대한 독자 안내서일 가능성이 높다. 'Japanese reader'는 해당 책이 일본어로 된 텍스트를 다루는 것임을 나타낸다. 그러므로 이 구절은 "일본어로 된 독자 안내서, 'Fuji-Mura's Reader'에서"라는 의미를 지닌 것으로 판단한다. 그리고 문장의 첫 구절 'For Academy Students.'는 자기가 누구에게 들려주는 이야기인지를 분명하게 나타내고 있다. 노스 파크 대학의 아카데미 학생들에게 들려주는 일본 어느 가정의 이야기인 것으로 판단한다. 그 내용을 먼저 감상해 보자.

  Hahn Contributes Korean Story

  (From 'Fuji-Mura's Reader,' a Japanese reader.)

  For Academy Students.

  "Good morning! Good morning! Good morning!" says the wall-clock upon the corner-pillar of the sitting-room. It is an old clock. More than seventy years have passed since it began to tick in our house. During this long period, we have moved several times, from this place to that, but the clock itself has always accompanied us. The older it has become, the more excellent have the works proved to be, and now it is held quite precious by all the household.

Now, this clock was a present from our grandfather in Hakodate. He brought it to us when he paid his first visit to my new home. Ever since then, the whole house has resounded with its sonorous tick-tocks. Grandfather would take pleasure, whenever he came up from Hakodate to see us, in watching the clock that was now forever, and now in gazing on the chubby-faced youngsters in the room which was resounding with the everlasting tick-tocks. That dear grandfather of ours is, alas, dead and gone this long time, but the old clock is still going.

It is just like him that he should have preferred this to any other. In the solid appearance of its octagonal form, and in its extreme regularity of movement, it strongly resembled the old man himself.

Listening to the old clock, you seem to hear the dear grandfather calling the children by name. Now it will call Taro, saying "Taro-san! Taro-san! Taro-san!"

Now it will call Jiro, saying "Jiro-san! Jiro-san! Jiro-san!"

Then it will call Saburo, saying "San-chan! San-chan! San-chan!"

And finally it will call Suye-ko, saying "Suye-chan! Suye-chan! Suye-chan!"

The dial, even in the old wrinkles these twenty long years have engraved on it, has come to bear a striking resemblance to that venerable face of the one whose memory is now so dear to us. Some of the Roman figures, I to XII, over which both the long and short hands move round, are quite worn and much defaced. In spite of this, the affectionate care given the old clock keeps it ever in motion in our home.

Grandfather was extremely fond of his grand-children. Whenever he came from Hakodate to see us, he never failed to bring gifts for them. This generosity must dwell even in the old clock, which always seems to be as solicitous of the little ones, when we are going to treat them to tea at three o'clock. And so, every time it strikes we hear "Plenty! Plenty! Plenty!"

한 씨가 한국 이야기를 기고하다

(일본어로 된 독자 안내서, 'Fuji-Mura's Reader'에서)

아카데미 학생들을 위하여.

"좋은 아침! 좋은 아침! 좋은 아침!"이라고 거실 모퉁이 기둥에 걸린 벽시계가 말합니다. 이 시계는 오래된 시계입니다. 우리 집에서 이 시계가 처음으로 똑딱거리기 시작한 지 70년이 넘었습니다. 이 오랫동안 우리는 여러 번 이곳저곳으로 이사했지만, 시계는 항상 우리와 함께 있었습니다. 시계가 오래될수록 그 기계의 우수함이 증명되었고, 이제는 가족 모두에게 아주 소중한 존재가 되었습니다.

이 시계는 하코다테에 계신 우리 할아버지께서 선물해 주신 것입니다. 그가 처음으로 우리 집을 방문했을 때 이 시계를 가져오셨습니다. 그 이후로, 집 전체가 시계의 울리는 똑딱 소리로 가득 찼습니다. 할아버지는 하코다테에서 우리를 보러 올라오실 때마다, 이제는 영원히 함께할 시계를 바라보며, 방 안에서 울리는 끝없는 똑딱 소리와 함께하는 통통한 얼굴의 어린아이들을 바라보는 것을 즐기셨습니다. 그 사랑하는 할아버지는 안타깝게도 돌아가신 지 오래되었지만, 오래된 시계는 여전히 작동하고 있습니다.

그가 다른 어떤 것보다도 이것을 좋아했으리라는 것은 그야말로 그다운 일입니다. 팔각형 형태의 견고한 외관과 매우 규칙적인 움직임에서 이 시계는 그 노인 자신을 강하게 닮아 있었습니다.

오래된 시계 소리를 듣고 있으면, 사랑하는 할아버지가 아이들의 이름을 부르는 소리가 들리는 듯합니다. 이제는 타로를 부르며 "타로-상! 타로-상! 타로-상!"이라고 할 것입니다.

이제는 지로를 부르며 "지로-상! 지로-상! 지로-상!"이라고 할 것입니다.

그다음에는 사부로를 부르며 "산-짱! 산-짱! 산-짱!"이라고 할 것입니다.

마지막으로는 스에코를 부르며 "스에-짱! 스에-짱! 스에-짱!"이라고 할 것입니다.

이 긴 20년 동안 새겨진, 오래된 주름 속에서도 이 다이얼은 이제는 우리에게 그리운 그 노인의 존경스러운 얼굴을 놀랍도록 닮게 되었습니다. 긴 바늘과 짧은 바늘이 돌아가는 I에서 XII까지의 로마 숫자 중 일부는 꽤 닳고 많이 훼손되었습니다. 그런데도 이 오래된 시계에 대한 애정 어린 보살핌 덕분에 우리 집에서는 계속 움직이고 있습니다.

할아버지는 손주들을 매우 사랑하셨습니다. 하코다테에서 우리를 보러 오실 때마다 항상 그들에게 줄 선물을 가져오셨습니다. 이 너그러움은 오래된 시계에도 깃들어 있는 것 같습니다. 우리가 오후 3시에 아이들에게 차를 대접하려고 할 때마다 이 시계는 항상 아이들을 배려하는 듯합니다. 그래서 매번 시계가 울릴 때마다 우리는 "충분해! 충분해! 충분해!"라는 소리를 듣습니다.

1930년의 노스 파크 대학은 다양한 학부(부서)가 있었다. 주니어 칼리지(Ⅰ, Ⅱ), 신학대학, 성경학교, 음악학교, 아카데미로 편성되었고, 아카데미는 Seniors, Junior, Sophomore, Freshman의 단계로 나누어져 있었다. 한세광은 바로 그 아카데미 학생들을 위하여 이 글을 영어로 옮겨 적었던 것으로 보인다. 무슨 이유로, 어떤 일의 결과로 창작품이 아닌 소개 글을 적은 것일까?

이 이야기는 가족의 소중한 유산과 추억을 다루고 있다. '벽시계'는 단순한 물건이 아니라, 가족의 역사와 사랑을 상징한다. 세월의 흐름과 지속성, 그리고 가족의 연대성을 드러낸 이 이야기는 '할아버지의 시계'가 그의 기억과 사랑을 계속해서 떠올리게 할 뿐만 아니라, 이는 할아버지로부터 물려받은 유산으로써 전통과 유산의 중요성을 강조한다. 그리고 시계의 소리는 할아버지가 손주들의 이름을 부르는 소리처럼 들리며, 가족 간의 깊은 정서적 연결을 나타낸다. 이런 상징적인 의미를 바탕으로 이 이야기는 물건을 통해 가족의 사랑과 기억을 어떻게 보존하고 유지할 수 있는지를 감동적으로 묘사하고 있다.

그런데, 이야기의 배경과 등장인물을 고려할 때, 이 이야기는 일본 이야기로 보인다. 그 이유는 다음과 같다. 첫째, 이야기에서 언급된 이름들이 '타로', '지로', '사부로', '스에코'는 모두 일본식 이름이다. 특히 '타로', '지로', '사부로'는 전형적인 일본 이름의 구조로써, 첫째 아들, 둘째 아들, 셋째 아들을 의미한다. 둘째, 할아버지가 거주하는 '하코다테'는 일본 홋카이도에 있는 도시이다. 그리고 이야기의 출처가 '후지무라의 독자'라는 일본 독자 잡지나 매체에서 나온 것으로 되어 있기 때문이다. 따라서 이 이야기는 한국 이야기가 아니라 일본 이야기가 맞다. 그가 왜 일본 이야기를 그 대학의 아카데미 학생들에게, 신문을 통하여 공개적으로 알려준 것일까?

한세광이 그 이유를 밝혀 놓은 것을 찾을 수 없다. 다만 신문이 지닌 현장성을 고려할 때, 그가 누구에게 알려준다는 점이 확실하고, 이야기의 출처까지 밝혀 둔 것으로 보아 어떤 상황이나 토론의 증거, 혹은 자기가 한 말에 대한 증명 자료로 제시한 것으로 보인다. 그래서 신문의 제목에도 '기고하다'라는 용어를 사용하고 있다. 그렇다면 어떤 상황이었을까? 우선 이 이야기의 내용이 어떤 증거가 되는지를 살펴보는 것이 좋다. 이야기의 중요 소재로 '할아버지의 벽시계'가 있다. 그리고 그것은 하나의 유산이고, 그것을 통하여 가족의 사랑, 혹은 연대감을 느낄 수 있다는 것에 초점을 둘 수 있다. 한세광이 이 이야기를 알려준다는 것은 이미 이야기를 알고 있었다는 것을 의미한다. 그렇다면 1930년을 기점으로 그 이전에 다양한 문화적 상황 안에서 이와 유사하거나 비슷한 주제를 담은 이야깃거리가 있었을까?

19세기 후반과 20세기 초반에 일본은 급속한 근대화와 서구화를 겪었으며, 이에 따라 일본 전통 가치와 새로운 영향이 혼합된 문학 작품들이 많이 등장했다. 특히 메이지 시대(1868~1912)와 다이쇼 시대(1912~1926)에는 과거에 대한 향수와 변화하는 시대를 반영하는 문학 작품들이 많이 나왔다. 이 시기의 대표적인 작가로는 나츠메 소세키(夏目漱石)가 있는데, 그의 작품은 가족, 전통, 근대화의 영향을 주로 다루었다. 이외에도 아리시마 다케오(有島武郎)가 가족과 사랑에 대한 깊이 있는 고찰을 담아 쓴 「ある女(어느 여자)」, 나가이 카후(永井荷風)가 전통과 현대의 충돌, 그리고 시간의 흐름에 따른 사회와 개인의 변화를 다룬 작품 「모쿠토 기탄(濹東綺譚)」, 다자이 오사무(太宰治)가 전통적인 가족 구조의 붕괴와 근대화 속에서의 인간의 고독과 상실감을 그린 「사양(斜陽)」 등이 그러하다. 가족에 대한 사랑, 전통의 중요성, 그리고 시간이 흘러도 변하지 않는 소중한 것들에 대한 주제는 20세기 초반 일본 문학의 많은 작가가 다룬 주제이다. 특히 가족과 전통에 대한 향수를 표현하는 방식은 그 시대 문학의 중요한 요소 중 하나였다.

이와 마찬가지로 한세광이 기고한 글은 향수를 자아내며, 가족 유산(시계)과 그와 관련된 기억, 특히 사랑하는 할아버지에 대한 추억에 초점을 맞추고 있다. 시계를 의인화하고 그것을 할아버지의 목소리와 성격과 연관 짓는 것은 당시 문학에서 흔히 볼 수 있는 감상적이고 성찰적인 스타일과 닮았다. 그러나 이 이야기를 누가 쓴 것인지에 대해서는 아무런 정보가 없다. 만약 이 이야기를 쓴 작가가 있었다면 한세광이 그 이름을 밝히는 것이 더욱 정확한 증거가 될 수 있고 더 설득력을 얻었을 것이다. 이쯤에서 19세기 후반 미국 사회에서 하나의 논쟁거리가 되었던 문화적 현상 하나를 거론할 수 있다. 그것은 바로 '할아버지의 시계(My Grandfather's Clock)'라는 미국의 대중음악이 큰 성공을 거둔 일이다. 작사·작곡은 헨리 클레이 워크(Henry Clay Work)로, 1876년에 발표되어 당시 미국에서 악보가 100만 부 이상 팔렸다. 워크가 영국을 방문하고 있을 때, 숙박지에 있는 호텔의 주인에게 들은 이야기에 힌트를 얻고 노래로 만든 것이다.52) 이 노래는 이후 오랜 시간 동안 세계로 번져 나갔고, 각 나라의 언어로 번역되어 대중 가수들이 부르기도 한 것이다.53)

그 노래의 가사가 한세광이 기고한 내용과 완전히 일치하지는 않지만, 흐름도 비슷하고 주제도 비슷하다. 우연한 기회에 한세광과 아카데미 학생들이 이 노래를 사이에 두고 대화하였을 가능성이 있다. 학생들은 이 노래에 관해서 설명했을 것이고, 한세광은 그와 비슷한 내용이 일본 이야기에도 있다고 했을 것이다. 학생들은 이에 의문을 제기하였고, 한세광은 이를 증명하기 위하여 *North Park College News*에 기고한 것으로 추측한다. 그렇다면 이 기사의 제목을 「한 씨가 한국 이야기를 기고하다」라고 한 것은 잘못이 아니겠는가? 기사의 제목은 편집자가 정한 것으로 보이는데, 제목을 「한 씨가 일본 이야기를 기고하다」로 수정해야 한다.

---

52) 이와 관련된 이야기는 2005년 10월에 발행된 메릴랜드주 올니 라이온스 클럽의 공식 뉴스레터인 *The Pride of Olney*의 Volume XXX, No. 76에서 발췌된 내용을 탑재한, *How an Old Floor Clock Became a Grandfather,* https://www.henryze-cher.com/grandfather_clock.htm(다운로드 2024년 6월 30일)에서 확인할 수 있다.
53) 우리나라에서도 이 노래는 여러 대중 가수들이 불렀고, 이를 모티브로 한 동화 『할아버지의 시계』가 발매되기도 하였다. 윤재인(글)·홍성찬(그림). 『할아버지의 시계』, 서울: 느림보, 2010.

6
닫는말

한세광은 '피아노가 음악의 모체라면 시는 문학의 모체다. 어떠한 산문 작품이라 할 지라도 시 정신이 내포되어 있지 않으면 문학이 될 수 없을 것이다.'[54]라고 하였다. 이는 작가의 진실한 인생관과 창작관을 염두에 둔 말이 아니겠는가? 그는 후일, 한국에서 시적인 수필을 쓰는 작가로 명성을 얻었다. 그가 남긴 수필 중 「보리」, 「나무」와 같은 작품이 그러하며, 특히 「나무」의 경우는 한 편의 시를 쓰려다 수필이 된 작품이기도 하다.[55] 그만큼 시를 문학에서 중요한 장르로 생각할 뿐만 아니라, 문학을 하기 위한 기본적인 소양이요 능력이며, 거기에다가 맑고 올곧은 세계관을 형성하는 정신적 지조와 항구성을 강조한 것이다. 그가 한글시를 쓸 때도 그러했지만 영시를 쓸 때도 그러한 정신으로 창작했다는 사실은 그의 수필들을 통해서 확인할 수 있다.

그가 보여준 9편의 창작 영시는 당시 우리나라가 처한 시대적 현실과 한세광이 처한 개인적 현실이 갖는 공통분모를 다양한 시각으로 표현한 작품들이었다. 삶의 지향점이 명확하고, 현실 인식이 정확한 그의 철학과 사상을 읽기에는 부족함이 없었다. 고향을 그리워하고 고국을 사랑하는 마음도 그가 쓴 한글시들의 그것과 다름없었다. 특별히 「나의 영원한 고국, 조선이여」의 경우는 그가 당시에 지닌 '애국심, 애족심, 조선심'을 보여주는 훌륭한 작품이다. 그리고 우리의 '고시조'를 미국 사회에 소개하고자 했던 애족적 발상과, 시조의 고유한 운율을 영어로 표현하고자 하는 성실함과 자부심, 그리고 그 국제적인 사고를 높이 평가한다. 노자영과 양주동의 작품을 소개함으로써 당대 조선 시인의 위대함을 알릴 뿐만 아니라 그들 작품 속에 있는 진선미를 통하여

---

54) 한흑구. 「싸라기말」, 『인생산문』, 서울: 일지사, 1971, 137. '시는 문학의 모체'라는 표현은 페가수스 제2집의 서문 첫 구절 "What love is to social existence, poetry is to literature."의 정신과도 같은 맥락이다.
55) 한명수. 「시의 서정성과 예술혼이 그대로 옮겨진 '나무'」, 『수필세계』 제78호(2023 가을), 2023 참조.

'고국 조선'과 '조선의 마음'을 전하고자 했던 그 의식을 읽을 수 있었다.

한세광이 *North Park College News*에 처음 영시를 발표할 때 편집자가 그는 한국인으로서 한국과 일본 문학에 정통하다고 소개하였다. 편집자는 신문의 다채로움과 새로운 기획을 염두에 두고 동양 문화의 한 측면을 담은 작품을 원했을 것이다. 그 가운데에서 일본의 작품을 주문했을 가능성도 있다. 편집자가 한세광이 보낸 작품은 '동양시의 한 보기'가 된다고 한 것도 이해가 된다. 한세광이 동양시라고 해서 아무시나 선택하지는 않았다. 일본제국주의자들의 핍박을 받던 조선인으로서 일본 작가의 글을 선택하기는 쉽지 않았을 것이다. 한국의 것 외에 무엇을 선택할 것인지 고민하던 중 한세광은 도쿠토미 로카의 시를 선정하는 지혜를 발휘한 것이다. 도쿠토미 로카는 1911년 일본의 조선 침략을 비판한 『모반론(謀叛論)』의 작가요 톨스토이를 숭앙한 그리스도교 신자로서 『불여귀(不如歸)』를 쓴, 반침략 평화주의 작가이다. 한세광이 번역한 것은 도쿠토미 로카의 탈속적 인생관이 담긴 작품이다. 이는 일본 제국주의자인 형 도쿠토미 소호가 관직에 나갔을 때 이를 에둘러 비판한 작품이었다. 그가 번역한 민요도 내용상으로 볼 때 일본제국주의자들이 추진한 대외 팽창정책의 이면에 고통과 실의에 빠진 일본 서민의 애환을 그리고 있다는 것을 고려할 때 그의 선택은 다분히 조선의 마음을 드러내고자 했던 결심과 같은 맥락에 놓인 것임을 알 수 있었다.

사실 그는 우리말과 일본어뿐만 아니라 한자와 영어도 잘하는 인재가 아닌가? 그가 우리말과 한자어, 일본어와 영어의 경계를 자유롭게 드나들 수 있다는 것은 그가 영어시로 '조선심'을 표현해 보겠다는 훌륭한 뜻을 증명할 수 있는 능력이었다고 생각한다.

당시 일제강점기의 암울한 시대적 상황에서 민족적 정체성을 잃어가는 유학생들이 생겨나는 가운데 한세광은 그가 지향하는 '조선적 태도'를 잃지 않으려고 노력한 조선의 시인이었고, 영어로 조선의 마음을 표현해 보려고 시도한 창조적 직관의 소유자였다. 마음만 먹으면 얼마든지 미국에 정착하여 개인의 안락을 취할 수도 있었지만, 그는 스스로가 조선의 아들이요, 조선의 영혼을 지닌 작가임을 한시도 잊지 않았다. 그러한 삶의 태도가 조선의 언어가 아닌 이국의 언어에서도 발견되니 참으로 조선의 마음을 지닌 시인이 아닐 수 없다.

그는 일제강점기에 제국주의자들의 회유에도 굴복하지 않고 '끝까지 지조를 지키며 단 한 편의 친일 문장도 남기지 않은 영광된 작가'요 '시 한 줄에도 나라를 생각하였던 시인'이었다. 필자는 그의 영시들을 정리하면서 이러한 영예로움과 자랑스러운 화관 위에 또 하나의 영관(榮冠)을 올리고 싶다. '영어로 시를 써서 조선의 마음을 담고 자 했던 위대한 조선의 시인'이었다는 사실을 말이다.

흑구 한세광 약전(略傳)

   흑구 한세광(韓世光)은 1909년 6월 19일 평안남도 평양시 하수구리(下水口里) 96번지에서 아버지 한승곤(韓承坤)과 어머니 박승복(朴承福) 사이 1남 3녀 중 외아들로 태어났다. 유년 시절부터 아버지 한승곤 목사가 담임하던 평양 산정현교회의 종교적 삶 속에서 성장한 그는 민족주의자 조만식(曺晩植) 선생의 문하에서 평양 숭덕학교(崇德學校)와 숭인학교(崇仁學校)를 졸업한 후 서울의 보성전문학교에 수학 중 1929년 2월 미국으로 유학을 갔다. 시카고의 노스 파크(North Park) 대학 영문과를 졸업한 후 필라델피아의 템플(Temple) 대학에서 저널리즘을 공부하였다.

   1926년 『진생(眞生)』에 시 「거룩한 새벽하늘」과 「밤거리」를 발표한 후 1928년 『동아일보』에 수필 「인력거꾼」을 발표하였다. 미국으로 건너가 1929년 『신한민보(新韓民報)』에 잃어버린 조국과 고향에 대한 비감을 그린 시 「그러한 봄은 또 왔는가」, 미국 독립기념일을 맞아 조국의 주권 상실에 대한 아픔을 그린 시 「7월 4일」, 삶에 관한 성찰을 담은 시 「후매」 등을 발표하며 본격적으로 시인의 길을 걸었다. 또한 그는 1929년 *North Park College News*에 영시 「You And I」 외 5편의 영시를 발표하고, 노스 파크 대학의 시인클럽 창립회원으로 참가하여 동인지 *Pegasus*에 영시를 발표하기도 하였다. 그리고 템플 대학의 윌슨문학회(Wilson Literary Club)와 코스모폴리탄 클럽에서 활동하며 국제 교류를 통한 조선 알리기에 앞장서기도 하였다. 이와 함께 민족주의 계열의 주요 세력인 수양동우회(修養同友會)의 기관지 『동광(東光)』과 '북미학생총회(北美留學生總會)'의 기관지인 『우라키(The Rocky)』 등에 시와 평론 등을 발표하며 민족문화 운동을 통한 항일운동을 전개하였다. 특히 우리나라 최초로 흑인의 시를 번역하여 소개하고, 이를 통해 인종차별의 비인간적 행태에 대한 인간주의적 시선과 민족의 현실을 대비하기도 하였으며, 언론매체를 통해 우리나라의 일본

식민 통치의 아픈 상처를 그려내기도 했다.

1930년 3월 11일 그는 고학의 어려운 생활 가운데서도 아버지 한승곤(독립유공자 흥사단 의사장(議事長) 역임)이 몸담은 흥사단에 가입(제258단우)하여 조국의 독립을 위하여 서약하고 헌신하였다. 미주 청년들의 민족의식을 일깨우기 위한 연설회를 개최하기도 하고, 미주의 청년들이 일치단결하기를 촉구하는 논설을 발표하면서 청년 의식 운동에 앞장섰다. 1933년 12월 31일 로스앤젤레스에서 열린 '제24회 흥사단 대회' 위원으로 참가한 후 어머니의 위중한 소식을 듣고 조선으로 귀국하기 위하여 유학 생활을 정리하였다.

1934년 귀국한 그는 미국 흥사단 활동의 연장선으로 평양에서 동우회 활동을 하며, 같은 해 11월에는 전영택(田榮澤)과 함께 종합지 『대평양(大平壤)』을 창간하고 편집 주간을 맡았다. 그는 창간사에서 "평양의 진화(進化)를 지시하고 평양의 이상(理想)을 수립하는 데 한갓 공기(公器)가 되려 한다. 16만 평양 시민의 장래를 위하여 우리는 서로 이야기하고 또한 서로 듣자. 공정한 언론은 사회의 대변자이며 사회의 이상이다."라고 역설하며 주권을 상실한 민족의 당대 지식인으로서 독립을 갈망하는 국민을 선도하는 선각자적 역할을 하였다. 그리고 영미문학을 국내에 소개하면서 시, 소설, 수필, 평론 등 여러 장르의 작품을 발표하였다.

1936년 어머니 선종 후 미국에서 귀국한 아버지 한승곤과 함께 평양 동우회 활동을 통하여 독립운동을 이어갔다. 같은 해 말, 평양의 교육사업가 백선행(白善行)을 기리는 기념사업 중의 하나로 전영택, 안일성과 함께 문예 중심의 월간지 『백광(白光)』을 창간하고, 당대의 가장 정확한 비판자 역할에 충실하며 '정의와 인도(人道)'를 위하여 헌신하였다. 또한 1936년 4월에는 임시정부를 헐뜯는 한 젊은이의 글을 읽고 임시정부를 옹호하는 장문의 논설문을 『한민(韓民)』 제2호에 발표하여 많은 이의 경거망언을 경계하고, 조국 독립운동을 방해하는 일이 없도록 당부하기도 하였다.

1937년 4월 이화여전 음악과 출신의 방정분(邦貞分, 농촌계몽운동가, 전 포항여고 교사) 여사와 결혼하고, 잡지를 만들어 가던 중 5월 재경성기독교청년면려회에서 금주 운동 계획을 세우고 '멸망에 함(陷)한 민족을 구출하는 기독교인의 역할' 등의 내용을 담은 인쇄물을 국내 35개 지부에 발송하면서 일제가 동우회 관련자들을 대대적으로 검거하는 일이 발생했다. 소위 '수양동우회사건'(修養同友會事件)에 연루된 그는 1937년 6월 28일 안창호, 조만식, 김동원, 한승곤 등 동우회 지도자들과 함께 치안유지법 위반 피의자 신분이 되었다. 1938년 3월에 이르기까지 관련자 181명이 치안유지법 위반으로 송치되었고, 그들이 정식 기소와 기소 유예, 기소중지처분 등을 받을 때 한세광도 기소중지 처분을 받았다. 이어 일제의 강압적인 조치와 탄압을 피하여 평양을 떠나야만 했다.

그는 1937년 여름, 신의주를 오가며 종사했던 자동차 관련업도 그만두고, 편집주간으로 있던 『백광』도 발간하지 못한 채 그는 평양의 가산을 모두 정리한 후 평양에서 60여 리 떨어진 평안남도 강서군 성대면 연곡리로 이주하였다. 그의 아버지 한승곤 (1940년 8월 경성복심법원에서 치안유지법 위반 혐의로 징역 2년, 집행유예 3년 선고받음)은 정식 기소가 되어 재판받는 중이었고, 그는 일경의 면밀한 감시 속에서 지냈다. 한세광은 자택을 '성대장(星臺莊)'이라 이름을 붙이고, 손수 주변의 넓은 밭과 과수원을 일구며 일제의 압력과 굴욕을 넘어 굳건하게 지조 있는 삶을 이어갔다.

1940년에 발표한 그의 시(詩) 「동면(冬眠)」에서 '눈을 감지 않은 나의 동면'으로 암흑시기 자신의 심정을 대변하였고, 농촌 생활의 경험을 바탕으로 쓴 수필 「전야(田野)의 여름」, 「농민」, 「농촌유감」, 「농민송」 등을 통하여 농민의 힘이 곧 국가의 힘인 것을 강조하면서 강한 국민의 힘을 키울 것을 강조하기도 하였다. 일제로부터 창살 없는 옥에 갇혀 밤낮으로 감시받는 몸이었지만 부지런히 밭을 일구며 글을 썼고, 무지한 농촌 여성들을 계몽하는 것이 조선을 일으켜 세우는 힘임을 알고, 부인 방정분 여사에게 농촌 여성을 위한 야학을 열어 여성들을 가르치도록 하였다. 그렇게 광복이 될 때까지 그는 아내와 함께 농촌 계몽운동을 전개하였다. 그의 이러한 행보에서 우리는 일제의 갖은 협박과 회유를 이기고 '끝까지 지조를 지키며 단 한 편의 친일 문장도 남기지 않은 영광된 작가'(임종국. 『친일문학론』)의 절개와 독립 조국을 향한 일편단심을 이어온 민족 시인의 면모를 읽을 수 있다.

1945년 8월 15일 광복이 되자 조만식 선생이 평양으로 가 '평양건국준비위원회 위원장'을 맡자 한세광도 평양으로 갔다. 8월 하순 우리나라에 진주한 소련군의 종용으로 조만식 선생이 신정권 평남 인민정치위원회의 위원장으로 피선되자, 사회적 분위기가 심상치 않음을 깨달은 그의 제자들은 조만식 선생을 모시고 서울로 가려고 했으나 평양 시민을 두고 혼자 떠날 수 없다는 조만식 선생은 제자들을 서울로 보냈다. 1945년 9월, 그렇게 한세광은 가족들을 만날 겨를도 없이 서울로 오게 되었다.

서울로 온 그는 당시 '재조선 미국 육군사령부 군정청(在朝鮮 美國 陸軍司令部 軍政廳)' 아래의 서울시 행정 관계 통역관을 맡은 후 북쪽에 남아 있는 가족을 불러들였다. 조선청년문학가협회 작가들과 함께 교유하며 다시 창작 활동을 시작하였고, 통역관이라는 직업으로 그는 비교적 안정된 경제생활을 유지하였지만, 해방 공간의 급격한 변화 속에서 부정부패가 난무하는 사회 현상을 바라보는 그의 마음은 조국의 미래에 대한 근심으로 가득하였다. 그리고 국가 사회의 좌우 대립과 모략, 중상, 협잡의 소용돌이에 휘말리고 싶지 않았다. 공산주의를 경계하며 시국에 민감한 예지(叡智)를 지녔던 한세광은 남북의 충돌을 예감하고, 당시 폐디스토마를 앓아 휴식을 겸해 들렀던 동해의 영일만 바닷가 포항으로 이주하였다.

1948년, 서울 생활을 정리하고 경북 포항시 북구 남빈동 530번지에서 새로운 삶을 시작하였다. 포항으로 온 지 2년이 채 되지 않아 6·25전쟁이 일어났고, 그는 가족과 함께 부산으로 피난을 한 뒤 1950년 11월에 다시 포항으로 돌아왔다. 당시 오천읍(현 해병 1사단 기지)에 주둔하였던 K-3 미국 공군 통역관으로 활동하면서 전란의 피해를 본 지역사회의 시설들을 복구하고 사회의 안정과 회복을 위하여 노력하였다. 또한 작가로서 문학의 불모지였던 포항지역에 문학적 토양을 일궈 신진 문인들과 함께 지역문학의 터전을 개척하기도 하였다. 자신만의 문학세계를 일구며 고고한 은둔의 사색가로 살면서 발표한 그의 수필 중 「닭울음」, 「나무」, 「보리」 등은 광복 이후 우리나라를 재건하는 데 필요한 국민 의식 함양을 위하여 중등학교의 교과서에 오랫동안 게재되어 국민교육의 중요한 역할을 하였다.

1954년부터 포항수산초급대학(현 포항대학교)의 교수로 문학과 영어를 가르치면서 학생들에게 자신의 일제강점기 경험을 바탕으로 민족의식을 일깨우는 강의를 하였고, 대학의 학보를 창간하는 등 청년문화 창달에 헌신하기도 하였다. 1974년 대학을 퇴직한 후 창작에 열중하다가 1979년 11월 7일, 70세를 일기로 타계하였다.

우리 민족이 처한 현실을 극복하기 위하여 문학을 통한 문화적 애국 운동을 전개한 작가요, 농어촌 민중의 계몽을 위하여 헌신하였고, 지역문화 창달에 앞장섰던 그가 생전에 엮은 저(역)서로는 『미국의 대학제도』(1948), 『현대미국시선』(1949), 『세계위인출세비화록』(1952), 『동해산문』(1971), 『인생산문』(1974) 등이 있다.

에필로그 Epilogue

『흑구 한세광의 영시들』은 노스 파크 대학교가 지닌 역사의 한 길목을 장식하는 일이기도 하다. 지금으로부터 95년 전, 그러니까 1930년 3월 7일 금요일의 첫 모임이 노스 파크 시인클럽 'The Pegasus' 백년 역사의 첫 단추가 되리라는 것을 누가 알았겠는가? 더욱이 그 창립의 인물 중에 동방의 한 나라, 한국에서 건너온 순수 열혈 청년이 있었다는 것, 그가 후일 한국을 빛내는 유명한 작가가 되리라는 것을 짐작이나 했겠는가? 그렇게 백년이 흐른 지금, 그 찬사를 보내는 이들은 다름이 아닌 바로 우리요, 그 영광된 작가가 우리의 선대(先代)이며 선배(先輩)라는 사실이 자랑스럽다.

Say Kwang Hahn's English Poems also mark a significant moment in the history of North Park University. Who would have known that the first meeting of the North Park Poetry Club, 'The Pegasus,' on Friday, March 7, 1930, 95 years ago, would become the first step in its century-long history? Moreover, who could have predicted that among the founding members was a pure and passionate young man from a distant Eastern country, Korea, who would later become a famous writer and bring honor to Korea? Now, a hundred years later, it is we who celebrate this, and we take pride in the fact that this glorious writer is our ancestor and predecessor.

참고 자료

신문잡지 기본자료

North Park College News

Pegasus 제1집, 제2집.

The Korean Student Bulletin

『민중일보』 (1947년 8월)

『부인공론』 제1권 제3호(1936년 7월)

『조선문단』 속간 3호(1936년 5월)

『시건설』 제8집(1940년 6월)

『신인문학』 (1936년 3월)

『신한민보』 (1929년-1934년)

『효대학보』 (1973년 4월)

단행본 및 사전

국어국문학편찬위원회. 『국어국문학자료사전』, 한국사전연구사, 1999.

김기동 외 4인. 『완해 시조문학』, 서울: 서음출판사, 1983.

박두진. 『한국현대시론』, 서울: 일조각, 1970.

변영로. 『조선의 마음』, 경성: 평문관, 1924.

윤재인(글)·홍성찬(그림). 『할아버지의 시계』, 서울: 느림보, 2010.

정병욱. 『시조문학사전』, 서울: 청구문화사, 1980.

정일성. 『도쿠토미 소호』, 서울: 지식산업사, 2005.

조연숙. 『한국고전여성시사』, 서울: 국학자료원, 2011.

조태연 편. 『조선시인선집』, 경성: 조선통신중학관, 1926.

한명수. 『한흑구시전집』, 대구: 마중문학사, 2019.

_____. 「20대 청년 한흑구의 생활 철학을 엿볼 수 있는 토막글 11편」, 『부산수필문예』 제53호, 부산: 부산수필문인협회, 2023.

_____. 「시의 서정성과 예술혼이 그대로 옮겨진 '나무'」, 『수필세계』 제78호(2023 가을), 2023 참조.

한흑구.『동해산문』, 서울: 일지사, 1971.

_____.『인생산문』, 서울: 일지사, 1974.

德冨蘆花.『自然と人生』, 東京: 岩波書店, 1980(第59刷).

Percival Lowell.『조선: 고요한 아침의 나라 한국』(조경철 역), 서울: 대광문화사, 1986.

A. Henry Savage-Landor.『고요한 아침의 나라 조선』(신복룡·장우영 역주), 서울: 집문당, 1999.

Norbert Weber.『고요한 아침의 나라』(박일영·장정란 옮김), 왜관: 분도출판사, 2012.

논문

임혜정.「근대 이후 일본의 민요 전승」,『동양음악』제37집, 서울대학교 동양음악연구소, 2015.

細見典子.『德冨蘆花の初期作品考察 – 〈自然三部作〉の成立背景と作品世界を中心に』, 濟州大學校 大學院 日語日文學科 博士學位論文, 2015.

인터넷 사이트

Henry Zecher. *How an Old Floor Clock Became a Grandfather*, https://www.henryzecher.com/grandfather_clock.htm

North Park University, https://www.northpark.edu/about-north-park-university/history/history-and-heritage/

글쓴이 소개 About the Author

한명수 Myungsoo Han

그는 시인이요 문학평론가로, 대구가톨릭대학교 대학원 종교학과에서 신학과 영성심리를 기초로 한 교육을 주제로 박사학위를 받았다. 그는 오랜 기간 '가톨릭 사상과 윤리적 삶'과 '문학과 창작'을 가르쳤고, 여러 권의 책을 출간하였다. 그의 시집으로는 『때 묻은 영혼』『젊은 날의 기도』『촛불밭 기도꽃들』『빛으로 달구어진 물방울』『성모의 밤』『언제나 지금 모습으로 내 영혼의 하루가』『은빛 햇살』『꽃마중』『시간과 영원 사이에서』 등이 있다. 그의 평론집으로는 『수필의 정신세계』『시선 혹은 영성』, 에세이집으로는 『있는 모습 그대로』 등이 있다. 이외에도 『거룩한 부르심』『우리말과 종교심성, 그리고 동물상징』『관덕정 순교자들의 신앙과 삶』『성 이윤일 요한』『십자가의 길』『함께 가는 교사』『청소년 교육을 이야기하자』 등의 다양한 저서가 있다. 현재는 한국의 현대문학과 작가에 관하여 연구하고 있다.

He is a poet and literary critic who earned a Ph.D. in education based on theology and spiritual psychology from the Graduate School of Religious Studies at Daegu Catholic University in the Republic of Korea. He has taught 'Catholic Thought and Ethical Life' and 'Literature and Creative Writing' for an extended period and has published several books. His poetry collections include *A Stained Soul, Prayer of Youth, Prayer Flowers in the Candlelight Field, Water Droplets Heated by Light, The Night of the Virgin Mary, May My Soul's Day Always Be as It Is Now, Silver Sunshine, Welcoming Flowers,* and *Between Time and Eternity.* His critical essays are compiled in *The Spiritual World of Essays* and *Gaze or Spirituality,* while his essay collection is titled *Just as It Is.* Additionally, he has authored numerous other books, including *The Vocation, The Korean Language, Religious Spirituality, and Animal Symbolism, The Faith and Life of the Martyrs of Gwan Deok Jeong, Saint John Yi Yunil, The Way of the Cross, Teachers Walking Together,* and *Let's Talk About Youth Education.* He is currently researching modern Korean literature and authors.